D1276028

RESTITUER
LE PATRIMOINE AFRICAIN

Ouvrages de Bénédicte Savoy
(sélection)

Patrimoine annexé
Les biens culturels saisis par la France en Allemagne autour de 1800
Éditions de la Maison des Sciences de l'homme, 2 vol., 2003

Nofretete
Eine deutsch-französische Affäre 1912-1931
Böhlau, Cologne/Vienne/Weimar, 2011

Objets du désir. Désirs d'objets
Fayard, 2017

Ouvrages de Felwine Sarr
(sélection)

Afrotopia
Philippe Rey, 2016

Habiter le Monde
Mémoire d'encrier, Montréal, 2017

Écrire l'Afrique-monde
Les Ateliers de la pensée
Collectif sous la direction d'Achille Mbembe et Felwine Sarr, Philippe Rey/Jimsaan, 2017

FELWINE SARR
BÉNÉDICTE SAVOY

RESTITUER LE PATRIMOINE AFRICAIN

Philippe Rey / Seuil

ISBN 978-2-848-76725-3

www.philippe-rey.fr
www.seuil.com

« […] on pille les Nègres, sous prétexte d'apprendre aux gens à les connaître et les aimer, c'est-à-dire, en fin de compte, à former d'autres ethnographes, qui iront eux aussi les "aimer" et les piller. »

Michel Leiris, lettre à sa femme, 19 septembre 1931
(*in* Michel Leiris, *Miroir de l'Afrique*, édition établie,
présentée et annotée par Jean Jamin,
Paris, Gallimard, 1996, p. 204).

« La conservation de la culture a sauvé les peuples africains des tentatives de faire d'eux des peuples sans âme et sans histoire […] et, si [la culture] relie les hommes entre eux, elle impulse aussi le progrès. Voilà pourquoi l'Afrique accorde tant de soins et de prix au recouvrement de son patrimoine culturel, à la défense de sa personnalité et à l'éclosion de nouvelles branches de sa culture. »

« Manifeste culturel panafricain », *Souffles*, n° 16-17,
4e trimestre 1969, janvier-février 1970, p. 9-13.

Avant-propos

Le présent ouvrage reprend à quelques détails près les termes d'un « Rapport sur la restitution du patrimoine africain » que nous avons remis en novembre 2018 au président de la République française, Emmanuel Macron. Ce rapport a été conçu et rédigé dans le cadre d'une mission dédiée à la question, diligentée par Emmanuel Macron au lendemain d'un discours tenu à Ouagadougou, à l'automne 2017.

De mars à octobre 2018, cette mission nous a menés dans plusieurs pays d'Afrique francophone, d'une part, dans les administrations et les archives de diverses institutions françaises et internationales, d'autre part. Nous nous sommes engagés dans ce travail sans *a priori*, munis des outils, des méthodes et des connaissances qui depuis une vingtaine d'années guident nos travaux académiques sur l'histoire des musées et du patrimoine européens ; mais aussi sur l'avenir de l'Afrique et les relations entre les deux continents.

Nous avons travaillé dans une perspective transcontinentale, construite par nos travaux passés et nos localisations géographiques, Berlin pour l'une, Dakar pour l'autre. Si nous avons accepté de mettre entre parenthèses nos travaux universitaires pendant presque un an, de croiser nos points de vue et de nous engager en tandem dans la mission qui nous a été confiée, c'est que nous avions le sentiment l'un et l'autre que les temps étaient mûrs, et qu'il fallait mettre nos expertises théoriques au service d'une possible avancée dans le réel.

Nous nous sommes efforcés de reconstituer aussi précisément que possible l'histoire de la venue en France – et plus généralement en Europe – des objets d'Afrique au sud du Sahara aujourd'hui présents dans ses musées. Cette histoire des collections n'existait pas encore sous forme synthétique : nous en faisons l'esquisse ici pour la première fois, de même que nous écrivons l'histoire oubliée des réclamations patrimoniales elles-mêmes et de leur traitement par les États européens depuis un demi-siècle. Ce sont ces recherches menées dans les archives et au plus près de l'histoire des collections, ainsi qu'un dialogue intensif avec nos collègues des continents africain et européen, qui nous ont conduits progressivement à formuler les recommandations exposées dans ce volume.

La mission présidentielle à l'origine de cet ouvrage a bénéficié, pour l'organisation de la concertation et la rédaction du volet juridique, du soutien du ministère de la Culture sous la forme d'une mission d'appui de l'Inspection générale des affaires culturelles confiée à Isabelle Maréchal, inspectrice générale, et du concours de Vincent Négri, juriste et chercheur à l'Institut des sciences sociales du politique (UMR 7220, CNRS-ENS Paris Saclay – Université Paris-Nanterre). Elle a par ailleurs bénéficié, pour la coordination des échanges et pour les recherches sur les inventaires, de l'appui de Victor Claass, docteur en histoire de l'art.

INTRODUCTION

Il n'y a plus d'impossible

Le 28 novembre 2017, dans l'amphithéâtre bondé de l'université Ouaga 1 Professeur-Joseph-Ki-Zerbo à Ouagadougou, sous l'œil du président Roch Kaboré et de centaines d'étudiantes et d'étudiants burkinabés, le président de la République française a rompu verbalement avec plusieurs décennies de pratiques et de discours officiels français en matière de patrimoines et de musées : « Je veux que d'ici cinq ans les conditions soient réunies pour des restitutions temporaires ou définitives du patrimoine africain en Afrique[1]. » Applaudissements et sifflets. Sur Twitter, l'Élysée enfonçait le clou en temps réel, filant la métaphore ancienne et convenue du musée comme espace carcéral : « Le patrimoine africain ne peut pas être prisonnier de musées européens. »

D'autant plus inattendue qu'elle avait été précédée, un an plus tôt, d'un refus catégorique de la France de restituer au Bénin la moindre pièce de son patrimoine en vertu du principe d'inaliénabilité des collections publiques françaises, cette annonce s'inscrivait fin 2017 dans une démarche plus

1. Discours du président de la République Emmanuel Macron, à l'université Ouaga 1 Professeur-Joseph-Ki-Zerbo, à Ouagadougou, publié le 29 novembre 2017 sur le site internet de l'Élysée.

générale de libération de la parole mémorielle : battant campagne à Alger, Emmanuel Macron avait déjà qualifié quelques mois plus tôt la colonisation de « crime contre l'humanité » : « La colonisation fait partie de l'histoire française. C'est un crime, c'est un crime contre l'humanité, c'est une vraie barbarie. Et ça fait partie de ce passé que nous devons regarder en face, en présentant nos excuses à l'égard de celles et ceux envers lesquels nous avons commis ces gestes. » Jamais en France on n'avait si explicitement nommé la chose par son nom.

Ailleurs en Europe, il a fallu cent ans pour que la République fédérale d'Allemagne accepte, en 2004, de présenter quelques excuses aux Herero, peuple du Sud-Ouest africain (actuelle Namibie) victime d'un génocide par empoisonnement, déportations, travaux forcés et mises à mort pour avoir résisté à la loi coloniale allemande en 1904. En 2008, l'Italie mettait fin à quarante ans d'âpres relations avec la Libye en s'excusant pour les « blessures profondes » infligées à cette ancienne colonie italienne entre 1911 et 1943. Le Royaume-Uni a attendu soixante ans pour s'excuser en 2013, au terme d'une longue bataille juridique, de la répression sanglante et des tortures infligées aux Mau-Mau du Kenya dans les années 1950. Mais on est loin pourtant d'avoir soldé en Europe le passé colonial : malgré quelques avancées, la Belgique peine toujours à reconnaître les millions de morts causés par son exploitation du Congo entre 1885 et 1908 ; en France, les formules percutantes d'Emmanuel Macron arrivent après des décennies de déni ou d'affirmations hasardeuses sur les bienfaits de la colonisation. La prise en charge (historiographique, psychologique, politique) de ce passé qui ne passe pas est pour l'Europe l'un des défis collectifs majeurs du XXIe siècle.[2]

Les effets et les séquelles de cette histoire sensible sont nombreux. Ils se manifestent sous des formes multiples et à l'échelle mondiale : iniquités économiques, instabilités politiques, tragédies humanitaires. Dans ce contexte, parler d'œuvres d'art et de restitutions du patrimoine africain en Afrique, c'est ouvrir un chapitre, un seul, dans une histoire plus vaste et certainement plus difficile. Derrière le masque de la beauté, la question des restitutions invite en effet à mettre le doigt au cœur d'un système d'appropriation et d'aliénation, le système colonial, dont certains musées européens, à leur corps défendant, sont aujourd'hui les archives publiques. Penser les restitutions implique pourtant bien davantage qu'une seule exploration du passé : il s'agit avant tout de bâtir des ponts vers des relations futures plus équitables. Guidé par le dialogue, la polyphonie et l'échange, le geste de la restitution ne saurait en outre être considéré comme un acte dangereux d'assignation identitaire ou de cloisonnement territorial des biens culturels. Il invite tout au contraire à *ouvrir* la signification des objets, et à offrir à l'« universel » auquel ils sont si souvent associés en Europe la possibilité d'être éprouvé ailleurs[3].

Le rapport qui suit concerne la seule partie subsaharienne de l'Afrique. Il met en évidence la spécificité du cas africain et propose des solutions adaptées à ce cas *précis*[4]. Il tient

2. Sur l'histoire de l'Afrique, cf. Catherine Coquery-Vidrovitch, *L'Afrique noire, de 1800 à nos jours*, avec Henri Moniot, Paris, PUF, 2005 (1re éd. 1974).
3. Sur la distinction entre « universel » et « universalisme », cf. Souleymane Bachir Diagne et Jean-Loup Amselle, *En quête d'Afrique(s)*, Paris, Albin Michel, 2018.
4. Sur le territoire africain, le cas de l'Algérie (qui a fait l'objet d'intensives négociations dès les années 1960 et donné lieu à d'importants mouvements de

compte de l'histoire et des responsabilités particulières de la France dans cette région du monde (tutelle et exploitation coloniale, décolonisations ratées, politiques patrimoniales centralisatrices), bien différentes de celles de la Grande-Bretagne, de la Belgique, de l'Allemagne ou de l'Italie. Et il s'appuie sur le constat, souvent formulé par les experts, selon lequel la quasi-totalité du patrimoine matériel des pays d'Afrique situés au sud du Sahara se trouve conservée hors du continent africain[5]. C'est ce constat, cet abîme entre le nombre d'objets en Europe et en Afrique même, qui définit et mesure la spécificité du cas africain. Alors que d'autres régions du monde représentées dans les collections des musées occidentaux conservent chez elles une part signi-

---

restitution ou de dépôts à long terme après l'indépendance) et le cas de l'Égypte (qui s'inscrit dans une logique d'exploitation multilatérale des richesses du pays par plusieurs États occidentaux), bien que présents dans les collections publiques françaises, relèvent de contextes d'appropriation et impliquent des législations très différentes du cas de l'Afrique au sud du Sahara. Ces cas devront faire l'objet d'une mission et d'une réflexion spécifiques.

5. Cf. l'allocution d'Alain Godonou au Forum de l'Unesco sur la mémoire et l'universalité, 5 février 2007, in *Témoins de l'histoire. Recueil de textes et documents relatifs au retour des objets culturels*, Paris, Unesco, 2011, p. 63 : « Statistiquement, je pense qu'on peut dire en faisant la somme des inventaires des musées nationaux africains, qui tournent autour de trois ou cinq mille quand c'est des grosses collections, que 90 à 95 % du patrimoine africain sont à l'extérieur du continent dans les grands musées. Une autre partie de ces musées, dont on ne parle pas beaucoup, mais qui disposent de collections impressionnantes (nous y avons travaillé avec l'École du patrimoine africain, que j'ai l'honneur de diriger), sont tous des musées missionnaires comme la Consolata à Turin, comme le musée national de Lyon ici, qui disposent de collections extraordinaires également sur l'Afrique. Donc il y a une déperdition massive par rapport aux autres situations. » Cf. plus récemment « Stéphane Martin : "L'Afrique ne peut pas être privée des témoignages de son passé" », entretien avec Éric Biétry-Rivierre, *Le Figaro*, 6 décembre 2017 : « La proportion de ce qui a été enlevé du sol africain et dispersé en France comme dans le reste du monde est considérable. C'est presque la totalité. »

ficative de leur patrimoine artistique et culturel, l'Afrique au sud du Sahara en est pratiquement dépourvue. En ce sens, le projet de restitution engagé par la France s'inscrit dans une triple logique de réparation, de rééquilibrage de la géographie culturelle mondiale, mais aussi et surtout de nouveau départ.

Sur un continent où 60 % de la population a moins de 20 ans, il en va d'abord et avant tout de l'accès de la jeunesse africaine à sa propre culture, à la créativité et à la spiritualité d'époques certes révolues mais dont la connaissance et la reconnaissance ne sauraient être réservées aux sociétés occidentales ou aux diasporas qui vivent en Europe. La jeunesse d'Afrique, comme la jeunesse de France ou d'Europe, a un « droit au patrimoine », pour reprendre la formule consacrée par le Conseil de l'Europe lors de la Convention de Faro en 2005. Un droit à *tous* les patrimoines, faudrait-il ajouter, mais au moins, et d'abord, aux ressources héritées du passé de l'Afrique, conservées si loin de cette jeunesse africaine qu'elle en ignore souvent la richesse et la potentialité, si ce n'est l'existence même. Tomber sous le charme d'un objet, être touché, frappé, ému, sidéré par une chose vue dans un musée, admirer ses formes ou son ingéniosité, aimer ses couleurs, la prendre en photo, se laisser transformer par elle : ces expériences, qui sont aussi des formes d'accès à la connaissance, ne peuvent être réservées aux seuls héritiers d'une histoire asymétrique, bénéficiant de surcroît du privilège de la mobilité.

Le présent rapport a été rédigé entre Dakar, Berlin et Paris au cours de l'été 2018. Il est le fruit d'une vaste consultation d'experts et d'acteurs politiques en France et dans quatre pays d'Afrique francophone (Bénin, Sénégal,

Mali, Cameroun)[6]. Nous avons échangé avec plus de cent cinquante personnes *(voir Méthode, p. 141)*. Cette consultation a eu lieu entre mars et juillet 2018. Elle a permis d'entendre sur les deux continents des personnalités issues de milieux multiples : partisans des restitutions et esprits sceptiques ; universitaires et chercheurs ; professionnels des musées, responsables politiques, parlementaires, acteurs du marché de l'art, collectionneurs, juristes, pédagogues, activistes. À Paris, nous avons bénéficié de l'appui constant des équipes du musée du quai Branly-Jacques Chirac et de son président, Stéphane Martin, notamment pour l'établissement d'inventaires paramétrés selon les besoins de la mission, destinés à saisir précisément la qualité, la quantité et la provenance exacte des collections africaines. Deux ateliers spéciaux ont permis d'aiguiser la réflexion sur la notion de « restitution » : l'« atelier de Dakar », qui a réuni une vingtaine de personnalités d'Afrique et d'Europe au musée Théodore-Monod d'art africain le 12 juin 2018 ; et l'« atelier juridique », qui s'est tenu au Collège de France, à Paris, le 26 juin 2018, plus spécifiquement dédié à la question du cadre législatif.

6. Comme il était impossible, en quelques mois, de parcourir tous les pays d'Afrique concernés par d'éventuelles restitutions et de rencontrer tous les intéressés, des choix ont été nécessaires. Nous avons privilégié l'Afrique francophone, plus massivement représentée dans les collections françaises que l'Afrique anglophone. Nous avons en outre privilégié les pays où le débat est engagé depuis longtemps (la république du Bénin), où le paysage muséographique est en train d'évoluer radicalement (le Sénégal, avec l'inauguration prévue en décembre 2018 du Musée des civilisations noires au cœur de Dakar), où des expériences de restitution « temporaires et définitives » ont déjà été menées (Mali) et où des formes alternatives de mise en valeur du patrimoine sont particulièrement vivaces (Cameroun).

Le rapport s'articule en quatre parties. La première partie (« La longue durée des pertes ») consiste en un tour d'horizon international sur l'état de la question. La seconde partie (« Restituer ») dissipe les ambiguïtés liées à l'utilisation du terme de « restitution », qu'elle met en relation avec les questions plus générales de travail de mémoire et de réparation. La troisième partie (« Restitutions et collections ») met en évidence, à l'appui de statistiques précises, l'étroitesse du lien entre tutelle coloniale et formation des collections d'art et de culture africains dans les musées publics français pour en déduire des recommandations concrètes en matière de restitutions. La quatrième partie (« Accompagner les retours ») définit le cadre chronologique, juridique, méthodologique et financier dans lequel pourra s'effectuer le retour du patrimoine africain en Afrique.

CHAPITRE 1

La longue durée des pertes

Les captations patrimoniales : un crime contre les peuples

La prise et le transfert d'objets d'art, de culte ou de simple usage accompagnent les projets d'empire depuis l'Antiquité. Deux dynamiques se croisent. Appropriation esthétique, intellectuelle et économique du patrimoine d'autrui, qui dans les villes du vainqueur, ses maisons, ses cercles savants et sur le marché de l'art acquiert une valeur et une vie propres, déconnectées des origines. Aliénation et déculturation intentionnelle des populations soumises, dont l'équilibre psychologique est brisé, parfois définitivement, par le départ d'objets-repères transmis de génération en génération. Il y a deux mille ans et deux siècles, l'historien grec Polybe posait les fondements d'une théorie politique des captations patrimoniales. Lui-même otage politique à Rome pendant plus de quinze ans, il décrit la double peine que le vainqueur inflige au vaincu en le privant non seulement de son patrimoine culturel, mais en l'invitant qui plus est à admirer dans ses villes le spectacle humiliant de ses dépouilles dépaysées. De tels spectacles excitent la colère et la haine des victimes, avertit Polybe, qui exhorte les vainqueurs du futur à « ne pas faire des calamités d'autrui l'ornement de leur patrie[1] ».

Autour de 1800, lorsque la France révolutionnaire et impériale rêve de transformer Paris en « capitale de l'univers » et d'y centraliser les trésors artistiques conquis par ses armées dans l'Europe entière, le juriste et philosophe allemand Carl Heinrich Heydenreich dénonce un « crime contre l'humanité » (*Verbrechen gegen die Menschheit*). Il déconstruit la rhétorique du vainqueur qui, faisant mine d'être guidé par « les mœurs les plus douces » en s'intéressant à la culture du vaincu, transforme en fait sa victime en « chose » (*Ding*), la prive des nourritures spirituelles qui fondent son humanité et lui adresse pour ainsi dire ce « verdict barbare » : « Qu'il te soit plus difficile, à l'avenir, de t'instruire et de te cultiver ! Que l'on arrache au génie et au goût de tes plus nobles fils les modèles qui pourraient les conduire à l'immortalité, que les belles choses de l'art, qui diffusent entre les nations des sentiments aimables et humains, soient soustraites de vos regards à tout jamais ! »[2] L'extraction et la privation de biens culturels n'engagent pas seulement les générations qui les pratiquent et les subissent. Elles s'inscrivent dans la longue durée des sociétés, conditionnent l'épanouissement des unes et l'étiolement des autres. En temps de guerre, de conquêtes ou d'occupation, elles sont – comme le viol, la prise d'otages, l'emprisonnement ou la déportation d'intellectuels – des instruments de déshumanisation de l'ennemi.

1. *Histoire de Polybe*, trad. fr. Dom Vincent Thuillier, Amsterdam, Châtelain, 1753, t. 6, p. 73.
2. « Darf der Sieger einem überwundenen Volke Werke der Litteratur und Kunst entreißen ? Eine völkerrechtliche Quästion », *Deutsche Monatsschrift*, n° 2, 1798, p. 293 ; trad. fr. Bénédicte Savoy, *Patrimoine annexé*, Paris, Éditions de la Maison des sciences de l'homme, 2003, t. 1, p. 225.

En ce sens – c'est ce que suggèrent les débats anciens –, les annexions patrimoniales, parce qu'elles affectent l'individu et le groupe dans ce qui fonde leur humanité (spiritualité, créativité, transmission), relèvent d'une catégorie à part : celle d'actes transgressifs, qu'aucun dispositif juridique, administratif, culturel ou économique ne saurait légitimer. Dans l'un des grands textes dédiés à la question du consentement présumé des victimes de spoliations artistiques, Cicéron balaie de la main l'argument économique. Non, écrit-il, l'*achat* de pièces convoitées par un vainqueur en pays vaincu ne suffit pas à légitimer l'acte d'appropriation et d'extraction du patrimoine d'autrui : « S'il avait eu la faculté du choix, écrit-il à propos d'une victime sicilienne de prédations romaines, jamais on n'aurait pu l'amener à vendre ce qui était dans son sanctuaire et qui lui avait été légué et transmis par ses ancêtres[3]. » Et non, considèrent les milieux éclairés en Europe autour de 1800, l'*inscription juridique* de cessions artistiques dans les armistices ou traités de paix des guerres « modernes » ne saurait garantir au vainqueur la possession de biens culturels conquis par les armes : on peut bien estimer, dans la France de 1815, que le « Muséum de Paris [...], concédé par des traités, conservé par des capitulations, devait être nécessairement la propriété la plus inviolable[4] » ; cela n'empêche les souverains européens, en cette même année, d'aborder la question des restitutions sous l'angle moral et non légal, éthique et non juridique :

3. *L'Affaire Verrès*, trad. fr. Germaine Roussel, Paris, Les Belles Lettres, 2015, p. 87.

4. Hippolyte Mazier du Heaume, *Observations d'un Français, sur l'enlèvement des chefs-d'œuvre du Muséum de Paris*, Paris, Pélicier, 1815, p. 14.

Les alliés donc, ayant justement en leur pouvoir les œuvres d'art du musée, ne pouvaient faire autrement que de restituer à leur pays ce qui, contrairement à l'usage de toute guerre entre peuples civilisés, en avait été arraché pendant la période désastreuse de la révolution française et de la tyrannie de Bonaparte[5].

Butins de guerre et légalité des prises

Du point de vue juridique pourtant et jusqu'à l'extrême fin du XIXe siècle, le « droit de ravager et de piller ce qui appartient à l'ennemi » et le « droit de s'approprier ce qui a été pris sur l'ennemi », pour reprendre la terminologie du juriste néerlandais Grotius, sont des pratiques de guerre licites et codifiées[6]. Après le traumatisme et les innombrables débats publics causés en Europe par les « conquêtes artistiques » de la Révolution et de l'Empire, les nations européennes s'épargnent certes mutuellement, le temps d'un siècle, ce genre d'outrages. Elles en exportent en revanche la pratique et y recourent systématiquement lors des guerres de conquête et d'influence économique qu'elles engagent en Asie et en Afrique à partir du milieu du XIXe siècle.

Il faut dire que partout dans le monde, et l'Afrique ne fait pas exception, les sociétés entretiennent alors

5. Le duc de Wellington au vicomte Castlereagh, septembre 1815, reproduit in *Recueil choisi des dépêches et des ordres du jour du feld-maréchal duc de Wellington*, Bruxelles, Muquardt, 1843, p. 934.
6. Hugo Grotius, *Le Droit de la guerre et de la paix* (*De jure belli ac pacis*), Paris, Buon, 1625, livre III, chap. 5-6. Cf. Mariana Muravyeva, « "Ni pillage ni viol sans ordre préalable". Codifier la guerre dans l'Europe moderne », *Clio. Femmes, genre, histoire*, n° 39, 2014, p. 55-81.

un rapport élaboré à leur « patrimoine matériel », transmis de génération en génération et conservé selon des modalités spécifiques : garde collective d'objets sacrés ou de manuscrits précieux (comme à Tombouctou, où, depuis le XIVe siècle, se forment d'importantes bibliothèques que les voyageurs européens « découvrent »[7] avec émerveillement au XIXe siècle) ; conservation des trésors dynastiques dans des espaces définis et protégés des palais royaux (comme à Benin City) ; existence dans certaines villes de bibliothèques « modernes », comme celle formée au milieu du XIXe siècle par l'empereur éthiopien Tewodros II (1818-1868) à Magdala ; pratiques d'évacuation ou de mise à l'abri, en temps de guerre, des objets susceptibles d'attirer les convoitises de l'ennemi, les trésors d'Abomey par exemple, que l'armée française retrouva pour partie dans des caches souterraines après la prise de la ville.

Au XIXe siècle, les annexions patrimoniales deviennent donc le corrélat naturel des guerres de conquête et sont absorbées, juridiquement et physiquement, par les États conquérants. En 1854, sir Robert Phillimore, le plus célèbre juriste anglais de son temps, considère que « tous les États civilisés » reconnaissent la maxime selon laquelle « les acquisitions de guerre appartiennent à l'État »[8]. Ces acquisitions, lorsqu'il s'agit de biens culturels, trouvent dans les capitales européennes du XIXe siècle une place

7. Sur l'histoire ancienne et riche du continent africain, cf. François-Xavier Fauvelle (dir.), *L'Afrique ancienne. De l'Acacus au Zimbabwe, 20 000 avant notre ère-XVIIe siècle*, Paris, Belin, 2018.

8. *Commentaries upon International Law*, Philadelphie (Pa.), Johnson, 1854, t. 1, p. 240. (Sauf mention contraire, les citations tirées d'ouvrages en langue étrangère ont été traduites par les auteurs.)

« naturelle » au sein des grands établissements nationaux dédiés à l'instruction publique, musées et bibliothèques en tête, qui connaissent alors un accroissement considérable. Dès cette époque et malgré la légalité militaire des faits, de prestigieuses voix s'élèvent en Europe pour condamner ce que la prétendue « civilisation » inflige à la « barbarie ». « J'espère qu'un jour viendra où la France, délivrée et nettoyée, renverra ce butin à la Chine spoliée », écrit Victor Hugo après la seconde guerre de l'opium[9].

En Chine en effet (1860), en Corée (1866), en Éthiopie (1868), dans le royaume Ashanti (ou Asante, 1874), au Cameroun (1884), dans la région du lac Tanganyika, futur Congo belge (1884), dans la région de l'actuel Mali (1890), au Dahomey (1892), au royaume du Bénin (1897), dans l'actuelle Guinée (1898), en Indonésie (1906), en Tanzanie (1907), les raids militaires et les expéditions dites punitives de l'Angleterre, de la Belgique, de l'Allemagne, des Pays-Bas et de la France sont au XIXe siècle l'occasion de prises patrimoniales sans précédent. Le type et la quantité d'objets convoités, la présence d'experts auprès de certaines armées, l'attention aiguë que plusieurs musées et bibliothèques d'Europe prêtent à l'avancée lointaine des troupes, la destination muséale souvent précise assignée à certains objets dès leur prise, prouvent combien ces captations patrimoniales s'apparentent davantage, au XIXe siècle, à des soustractions ciblées qu'à des pillages militaires *stricto sensu* (visant traditionnellement le numéraire, les armes et drapeaux ennemis). Au début de l'année 1897, le directeur du musée ethnologique de Berlin se réjouit d'une « expédition punitive prévue contre les Ngolo (top secret !) à

9. *Actes et paroles. Pendant l'exil, 1852-1870*, Paris, Lévy, 1875, p. 201.

laquelle doit participer l'un de [s]es élèves » : « On peut s'attendre à des choses très brillantes. M. von Arnim est bien informé de ce dont nous avons besoin et tentera de faire quelque chose de très soigné. Les coûts seront probablement nuls. »[10]

Sur place, les butins culturels fraîchement saisis font souvent l'objet de premières sélections, de tris et de ventes internes aux armées. Arrivés en Europe, les objets les plus spectaculaires sont intégrés directement dans les collections nationales (musée du Louvre, British Museum, British Library, bibliothèque nationale à Paris, musées ethnologiques ou coloniaux spécialement créés à cet effet). D'autres sont vendus aux enchères et alimentent en masse le marché de l'art, qui en assure la capitalisation et la redistribution à l'échelle européenne. Les musées de toutes les nations puisent à cette source, y compris ceux que la fortune militaire n'a pas directement servis. Les collectionneurs privés s'y approvisionnent aussi, dont les acquisitions font souvent l'objet, à terme, de legs et de dons aux musées de leurs pays respectifs. Certaines pièces, enfin, demeurent pendant plusieurs générations dans les familles des militaires impliqués et ressortent au fil des générations soit sur le marché, soit dans le cadre de donations à des musées ou des bibliothèques. Dans le contexte des guerres du XIXe siècle, la captation violente et la capitalisation économique (par le biais du marché) et symbolique (par le biais des musées) des patrimoines d'Afrique et d'Asie vont main dans la main.

Il faut de fait attendre 1899 pour que la Convention concernant les lois et coutumes de la guerre sur terre, signée

10. Lettre de Felix von Luschan, Archives du musée ethnologique de Berlin, 1897.

à La Haye par vingt-quatre États souverains, rende illicites la pratique du pillage et la prise de biens culturels lors de campagnes militaires. Deux articles de la section III (« De l'autorité militaire sur le territoire de l'État ennemi ») y évoquent la question : l'article 46, qui stipule que « l'honneur et les droits de la famille, la vie des individus et la propriété privée, ainsi que les convictions religieuses et l'exercice des cultes, doivent être respectés » et que « la propriété privée ne peut être confisquée » ; l'article 47, selon lequel « le pillage est formellement interdit ». La même convention, renouvelée en 1907, précise en son article 56 que « les biens des communes, ceux des établissements consacrés aux cultes, à la charité et à l'instruction, aux arts et aux sciences, même appartenant à l'État, seront traités comme la propriété privée. Toute saisie, destruction ou dégradation intentionnelle de semblables établissements, de monuments historiques, d'œuvres d'art et de science, est interdite et doit être poursuivie ».

Nés d'une ère de violence

À cette époque précisément, partout en Europe et alors qu'aux guerres de conquête ont succédé en maints lieux des situations d'occupation ou d'administration coloniale, l'anthropologie et l'ethnologie naissantes font valoir l'apport scientifique qu'elles entendent fournir aux projets coloniaux de leurs gouvernements respectifs. En 1903, l'éminent anthropologue britannique Henry Ling Roth, directeur du musée de Halifax, écrit dans un épais ouvrage sur le royaume du Bénin (actuel Nigeria) : « Il est de toute première importance, sur le plan politique, que nos dirigeants aient une connaissance précise des races autochtones qui leur sont soumises – et c'est la connaissance que l'anthropologie peut leur donner – car cette connaissance montre quelles méthodes de gouvernement et quelles formes de taxation sont les plus adaptées aux tribus particulières, ou au stade de civilisation dans lequel nous les trouvons. » Des ravages culturels provoqués par l'occupation européenne, qu'il connaît et décrit, Roth tire argument pour légitimer les pratiques de collecte et d'exfiltration patrimoniales, y compris en temps de paix :

> Contrairement aux Tasmaniens ou aux anciens Péruviens, l'Afrique de l'Ouest ne sera jamais effacée de la surface de la Terre, mais la fréquentation de l'homme blanc modifie ses croyances, ses idées, ses coutumes et sa technologie, et il faut en prendre note avant de les détruire. La destruction se poursuit à un rythme soutenu, l'une des causes principales étant l'enseignement européen inadapté donné aux races indigènes en général – inadapté à celles-ci en raison des grandes différences physiques et mentales qui existent entre l'homme blanc et l'homme noir[11].

Quelques lignes plus tôt, Roth se félicitait du transfert au British Museum des chefs-d'œuvre de bois, d'ivoire et de bronze – datant pour certains du XVIe siècle – saisis à Benin City par l'expédition britannique de 1897.

On peut multiplier les exemples qui prouvent combien la recherche active de biens culturels et leur transfert dans les capitales européennes ont été au cœur – et non à la marge – de l'entreprise coloniale. En 1904, le directeur du musée

11. *Great Benin : Its Customs, Art and Horrors*, Halifax, King, 1903, appendice.

ethnographique de Berlin s'enthousiasme de ce que « le département colonial du ministère des Affaires étrangères du Reich, la marine, les gouverneurs des protectorats et un grand nombre de médecins, de fonctionnaires et d'officiers [soient] imprégnés de l'importance scientifique et pratique de l'ethnologie et apportent un soutien officiel et appuyé aux efforts [du musée de Berlin][12] ». En Belgique, le musée colonial de Tervuren inauguré en 1910, qui accorde une place prépondérante à la section d'« économie politique », bénéficie d'un afflux considérable d'objets pris au Congo par des missions scientifiques, des expéditions militaires, lors de déplacement d'agents territoriaux ou dans le cadre d'activités évangélisatrices.

Partout en Europe s'ajoutent à ces établissements d'État les musées dits missionnaires, où sont rassemblés et exposés de multiples objets rituels (fétiches, masques, tombeaux entiers) soustraits par des prêtres catholiques et protestants aux peuples d'Afrique visés par leurs efforts de christianisation. Lorsqu'ils ne sont pas détruits sur place, ces témoins de l'obscurantisme africain, ces « idoles aussi grossières [...] qu'informes, barbouillées d'huile de palme et du sang des victimes », pour reprendre les termes du missionnaire lyonnais Théodore Chautard[13], sont transférés en Europe et exposés à des fins d'édification : pour donner à voir le courage des missionnaires et les dangers auxquels ils s'exposent ; pour rappeler combien est importante la

12. Felix von Luschan, *Anleitung für ethnographische Beobachtungen und Sammlungen in Afrika und Oceanien*, Berlin, Königliches Museum für Völkerkunde, 1904.

13. Cité par Laurick Zerbini, « La construction du discours patrimonial : les musées missionnaires à Lyon (1860-1960) », *Outre-mers*, n° 356-357, 2007, p. 127.

mission civilisatrice de l'Église dans les ténèbres africaines. En 1925 est présentée à Rome l'« Esposizione missionaria vaticana », la plus grande exposition missionnaire du siècle, pour laquelle sont mobilisés dans le monde entier des dizaines de prêtres chargés de collecter au plus vite (parfois à grand-peine) des pièces spectaculaires. Aujourd'hui encore, dans maintes villes d'Europe, les musées missionnaires accueillent un public parfois nombreux. En France, leurs collections ne relèvent pas du domaine public : elles excèdent à ce titre le périmètre imparti à nos travaux.

Au début des années 1930, le projet de loi qui institue en France la célèbre Mission ethnographique et linguistique Dakar-Djibouti insiste sur le rôle politique crucial de l'ethnologie, qui « apporte aux méthodes de colonisation une contribution indispensable en révélant au législateur, au fonctionnaire, au colon, les usages, croyances, lois et techniques des populations indigènes, [permettant ainsi] une exploitation plus rationnelle des richesses naturelles »[14]. Le même projet de loi souligne l'urgence qu'il y a pour la France, dans un contexte de redoutable concurrence internationale, à « récolter » systématiquement des objets susceptibles d'enrichir ses musées avant qu'au « contact chaque jour plus intime des Européens et des indigènes » ne disparaissent des pans entiers de la culture autochtone. Il s'agit, précise le texte, de « constituer méthodiquement et sur le vif des collections d'une valeur bien supérieure aux dépenses engagées et dont il ne serait plus possible, d'ici quelques années, d'enrichir nos musées, même en disposant

14. Pierre-Étienne Flandin, Gaston Doumergue, Mario Roustan, Mission ethnographique et linguistique Dakar-Djibouti. Projet de loi, *in Journal de la Société des Africanistes*, 1931, t. 1, fascicule 2. p. 300 à 303.

de crédits illimités ». L'exploitation des richesses naturelles et celle des richesses culturelles des pays colonisés (présentée en termes économiques) sont indissociables. Appliqué à la translocation de biens culturels, le vocabulaire de la « collecte » et de la « récolte » suggère d'ailleurs la parenté des deux opérations. Elle suggère aussi, avec un indéniable cynisme, qu'après la moisson les objets repousseront comme le blé. C'est nier le principe même de culture, qui – en Europe comme ailleurs – se génère et se régénère au fil des siècles par la transmission, la reproduction, l'adaptation, l'étude et la transformation de savoirs, de formes et d'objets au sein des sociétés. Certes, les cultures européennes ont bénéficié de l'apport de ces objets lointains, bientôt intégrés au répertoire occidental. Mais leur départ massif puis leur très longue absence ont laissé, dans les pays touchés, des séquelles au moins aussi importantes, bien que plus difficiles à mesurer (parce qu'elles relèvent justement de l'absence), que les fécondations culturelles spectaculaires qu'elles ont permises en Europe (de Picasso aux surréalistes en passant par les expressionnistes allemands).

En 1975, dans un retour critique sur l'histoire de sa discipline, Claude Lévi-Strauss qualifiait l'anthropologie de « fille née d'une ère de violence »[15]. Dans nos capitales du XXIe siècle, les musées ethnographiques ou dits universels, qui ont accueilli les moissons coloniales, en sont les fils plus ou moins assumés. Destruction et collection sont les faces d'une même médaille. Les grands musées d'Europe sont à la fois les conservatoires brillants de la créativité humaine et les dépositaires d'une dynamique d'appropriation souvent violente et encore trop mal connue.

15. *Anthropologie structurale deux*, Paris, Plon, 1973, p. 69.

Affaire de famille

Parler de restitutions en 2018, c'est donc rouvrir à la fois le ventre de la machine coloniale et le dossier de la mémoire doublement effacée des Européens et des Africains d'aujourd'hui, les uns ignorant pour la plupart comment se sont constitués leurs prestigieux musées, les autres peinant à retrouver le fil d'une mémoire interrompue. Rien d'étonnant dans ce contexte à ce que la question occupe les esprits et la presse bien au-delà du cadre franco-africain. Du British Museum (69 000 objets d'Afrique) au Weltmuseum de Vienne (37 000), du musée royal de l'Afrique centrale en Belgique (180 000) au futur Humboldt Forum de Berlin (75 000), des musées du Vatican à celui du quai Branly (70 000) en passant par les nombreux musées missionnaires protestants et catholiques en Allemagne, aux Pays-Bas, en France, en Autriche, en Belgique, en Italie, en Espagne : l'histoire des collections africaines est une histoire européenne bien partagée. Par comparaison, Alain Godonou, alors directeur de l'École du patrimoine africain, à Porto-Novo au Bénin, estimait en 2007 qu'« à quelques rares exceptions près les inventaires des musées nationaux africains ne dépassent guère trois mille objets, dont la majorité est de qualité et d'importance relative[16] ». Hors de France, l'annonce française de possibles restitutions a fait l'objet d'une attention constante et de commentaires médiatiques nombreux. En Afrique et hors d'Afrique, ceux qui depuis

16. Alain Godonou, « À propos de l'universalité et du retour des biens culturels », *in Réinventer les musées*. Dossier coordonné par Malick Ndiaye, *Africultures* n° 70, mai-juin-juillet 2007, p. 114 à 117, ici p. 116.

longtemps militent pour le retour dans leurs pays d'origine des patrimoines déplacés y voient l'avènement d'une ère nouvelle. « L'ère post-Ouagadougou s'est ouverte », écrivait le juriste ghanéen Kwame Opoku en décembre 2017[17].

En Allemagne, l'initiative française s'inscrit dans le contexte d'un vif débat sur l'amnésie coloniale dont semblent frappés les concepteurs du futur Humboldt Forum, cette copie du château des rois de Prusse destinée à abriter au centre de Berlin les collections ethnologiques de l'ex-État prussien à partir de 2019. Dans une lettre ouverte à Angela Merkel, quarante organisations de la diaspora africaine d'Allemagne ont enjoint en décembre 2017 la chancelière de réagir à « l'initiative historique » du président français – sans réponse. Les autorités allemandes misent sur la *Provenienzforschung*, la recherche sur la provenance des œuvres conservées dans les musées, dans un contexte fédéral où l'inventaire et le récolement, ces piliers sacrés du patrimoine « à la française », n'ont pas fait l'objet de politique systématique ces dernières décennies, laissant planer une incertitude (toute relative) sur l'origine des collections ethnographiques allemandes[18]. Tout récemment, sous la pression de l'opinion publique, les musées berlinois ont fini par concéder, documents à l'appui, qu'une part de leurs collections est le résultat de pillages militaires. Ailleurs en Europe, les directeurs de plusieurs grandes institutions ont

17. « Humboldt Forum and Selective Amnesia : Research Instead of Restitution of African Artefacts », ModernGhana.com, 21 décembre 2017.

18. Cf. Les *Guidelines on Dealing with Collections from Colonial Contexts* de l'Association des musées allemands, parues en allemand en mai 2018, puis en anglais en juillet 2018 (disponibles sur MuseumsBund.de), ainsi que les réactions qu'elles ont suscitées, par exemple : « Eine Räuberbande will Beweise », entretien de Jörg Häntzschel et Andreas Zielcke avec Wolfgang Kaleck, *Süddeutsche Zeitung*, 11 octobre 2018.

dû aussi quitter leur réserve. Dans une interview accordée au journal *Le Monde*, Guido Gryseels, directeur depuis dix-sept ans du musée de Tervuren, près de Bruxelles, déclarait en juin 2018 : « L'Afrique est un continent qui a été pillé, vidé. Nous ne pouvons pas ignorer ce sujet et nous devons trouver des solutions. » En avril 2018 à Londres, face aux revendications éthiopiennes, le directeur du Victoria & Albert Museum considérait pour sa part que « la voie la plus rapide, si l'Éthiopie veut présenter ces objets, est celle d'un prêt de longue durée. Ce serait la manière la plus simple de gérer cette question[19] ». De là à proposer la restitution des patrimoines pillés, il y a un pas que la plupart ne franchissent guère. On préfère parler de coopérations, de circulations ou de prêts à long terme.

Prudence politique et inquiétude des musées

Il est vrai qu'aujourd'hui encore partout en Europe, et la France ne fait pas exception, le simple mot de « restitution » suscite un réflexe de défense et de repli. Ce réflexe, François Mitterrand en a fait la démonstration publique en 1994, lorsque pour remercier Helmut Kohl de la restitution par l'Allemagne de vingt-sept tableaux français volés par les nazis pendant la guerre, il déclarait : « Que de conservateurs dans nos pays, que de responsables de nos grands musées doivent ce soir éprouver une certaine inquiétude. Et si cela se généralisait ? Je ne me risque pas beaucoup en pensant que cet exemple restera très particulier et que la

19. Tristram Hunt, cité par Mark Brown, « Looted Ethiopian Treasures in UK Could Be Returned on Loan », *The Guardian*, 3 avril 2018.

contagion s'arrêtera assez vite. » Restitutions et contagion ; prudence politique et effroi des musées : nous sommes d'une génération qui n'a connu de restitutions que douloureuses ou arrachées de haute lutte. Personne en France n'a oublié la résistance menée en 2010 par les conservateurs de la Bibliothèque nationale de France, lorsqu'en marge de tractations commerciales Nicolas Sarkozy s'est engagé à rendre à la Corée du Sud près de trois cents manuscrits précieux provenant d'une expédition punitive de l'armée française en 1866. Personne n'oublie en Italie le demi-siècle de négociations qu'il aura fallu pour que soit rendu à l'Éthiopie l'obélisque d'Axoum, saisi par les troupes de Mussolini en 1937. Et personne n'aimerait à Berlin qu'on restitue un jour à la Tanzanie l'immense squelette fossile du plus grand dinosaure du monde, le *Brachiosaurus brancai*, idole des musées de Berlin apportée de 1909 à 1912 de territoires alors placés sous le protectorat du Reich.

En fait et de manière générale, en Europe, seule la restitution de restes humains semble s'être progressivement imposée aux consciences et aux institutions : en 2002, la France s'est dotée d'une loi autorisant la restitution de la dépouille mortelle de Saartjie Baartman à l'Afrique du Sud (« Vénus hottentote ») ; la même année, plusieurs musées français restituaient une vingtaine de têtes maories à la Nouvelle-Zélande ; en octobre 2017, les musées de Dresde rendaient à Hawaï des ossements pillés dans des tombes autour de 1900 ; tout récemment encore, fin août 2018, les ossements de plusieurs victimes du génocide des Herero et des Nama perpétré entre 1904 et 1908 par la puissance coloniale allemande ont été rendus par différentes institutions allemandes à la Namibie, ex-colonie germanique.

1960, année zéro

En Afrique, certains pays ou communautés – Éthiopie et Nigeria en tête – réclament depuis près d'un demi-siècle le retour d'objets disparus pendant la période coloniale. Les archives des musées belges, allemands, britanniques et français, celles des ministères des Affaires étrangères et des grands journaux d'Afrique et d'Europe, ainsi que plusieurs témoins que nous avons rencontrés, gardent la mémoire de ces réclamations, mais aussi et surtout du silence assourdissant qui les a accueillies pendant longtemps et qui continue parfois de les accueillir.

En 1957, la reine d'Angleterre restituait à Accra un tabouret ashanti/asante de grande valeur à l'occasion des célébrations de l'indépendance du Ghana. Depuis cette date, on attend au Ghana le retour d'autres pièces majeures du patrimoine ashanti/asante, dispersées après l'expédition punitive de 1874 contre la ville royale de Kumasi, celui notamment d'une spectaculaire tête en or conservée à la Wallace Collection, officiellement réclamée dès 1974 – en vain. En 1960, juste après son accession à l'indépendance, le Zaïre demandait à la Belgique le transfert à Kinshasa du « musée du Congo belge » (actuel musée de Tervuren) obtenant quinze ans plus tard, après d'usantes négociations, le retour d'une centaine de pièces (sur les cent quatre vingt mille objets ethnographiques de Tervuren). En 1968, le Nigeria soumettait à l'ICOM (Conseil international des musées) un projet de résolution demandant aux musées occidentaux disposant de collections provenant du royaume du Bénin d'offrir quelques pièces significatives au musée national qu'il venait d'ouvrir à Lagos – sans aucun effet. En

1969 enfin, le manifeste culturel panafricain d'Alger insistait sur la nécessité de « récupérer les objets d'art et les archives pillés par les puissances coloniales » et réclamait que soient prises « les mesures nécessaires pour arrêter l'hémorragie des biens culturels qui quittent le continent africain ».

Du côté européen et malgré ces revendications, on évite dans les années 1960 d'aborder le sujet en face. Aucune négociation d'envergure n'est engagée sur la question par les anciennes puissances coloniales. Aucune réflexion structurée dédiée au rôle que pourraient jouer le patrimoine et les musées dans l'émancipation des pays d'Afrique anciennement colonisés. En France, alors qu'après les indépendances l'État se mobilise à tous les niveaux pour assurer sa présence économique, militaire, industrielle, monétaire et même scolaire sur le continent africain, la question des milliers d'œuvres transférées des colonies dans les musées français ne semble guère se poser.

Mais en réalité elle se pose – et de manière plus intensive et précoce que la discrétion volontaire des autorités ne le laisse penser. Très tôt en effet, alors que les jeunes États africains sont encore à la liesse des indépendances, l'administration française s'efforce par différents biais de soustraire à de potentielles revendications les collections formées dans les colonies et d'en assurer à long terme la pleine propriété et la jouissance à la France. Dès 1960, les collections africaines et océaniennes de l'ancien « musée des colonies » du palais de la Porte Dorée, jusqu'alors sous tutelle du ministère des Colonies (« de l'Outre-mer » depuis 1946) et conservées aujourd'hui au musée du quai Branly, voient leur tutelle administrativement transférée à la direction des musées de France du ministère de la Culture, manière de les « absorber » symboliquement une seconde fois (la première ayant été celle de leur translocation) et d'affirmer leur inaliénable appartenance au patrimoine national français. À la même époque, dans un contexte certes différent, l'Algérie n'échappe pas à ce phénomène de raidissement patrimonial français : au lendemain des accords d'Évian (1962) et quelques mois avant l'indépendance du pays, la France ordonne le transfert à Paris de trois cents tableaux du musée des Beaux-Arts d'Alger, qui ne seront restitués à l'Algérie que sept ans plus tard, au terme de rudes négociations. Enfin, dans une logique toujours semblable, de nombreux objets prêtés par des musées africains aux musées français entre les années 1930 et les années 1960 ne seront jamais rendus à leurs institutions d'origine après les indépendances, comme en témoigne le cas de l'Institut fondamental d'Afrique noire (IFAN) à Dakar, qui attendait toujours, début 2018, le retour de pièces prêtées en 1937, 1957 et 1967.

Une si longue attente

À la fin des années 1970, face à l'inflexibilité des anciennes puissances coloniales et sous la pression de ses États membres, l'Unesco décidait de prendre à bras-le-corps la question des restitutions. Le 7 juin 1978, dans l'un des plus beaux textes que le XXe siècle a produits sur le sujet, Amadou-Mahtar M'Bow, alors directeur général de l'Unesco, plaidait en faveur d'un rééquilibrage du patrimoine mondial entre le Nord et le Sud. Son appel « Pour le retour, à ceux qui l'ont créé, d'un patrimoine culturel irremplaçable » mérite d'être lu et relu, tant il pose avec justesse et gravité la question qui continue de nous occuper aujourd'hui – comme si rien n'avait été dit et pensé depuis quarante ans :

> Les peuples victimes de ce pillage parfois séculaire n'ont pas seulement été dépouillés de chefs-d'œuvre irremplaçables ; ils ont été dépossédés d'une mémoire qui les aurait sans doute aidés à mieux se connaître eux-mêmes, certainement à se faire mieux comprendre des autres. [...] [Ces peuples] savent, certes que la destination de l'art est universelle ; ils sont conscients que cet art qui dit leur histoire, leur vérité, ne la dit pas qu'à eux, ni pour eux seulement. Ils se réjouissent que d'autres hommes et d'autres femmes, ailleurs, puissent étudier et admirer le travail de leurs ancêtres. Et ils voient bien que certaines œuvres partagent depuis trop longtemps et trop intimement l'histoire de leur terre d'emprunt pour qu'on puisse nier les symboles qui les y attachent et couper toutes les racines qu'elles y ont prises. Aussi bien ces hommes et ces femmes démunis demandent-ils que leur soient restitués au moins les trésors d'art les plus représentatifs de leur culture, ceux auxquels ils attachent le plus d'importance, ceux dont l'absence leur est psychologiquement le plus intolérable. Cette revendication est légitime[20].

À la fin des années 1970, l'appel et les efforts de M'Bow ont touché les esprits et les opinions publiques, en France comme ailleurs. Des restitutions semblaient proches. Au journal télévisé de 20 heures, le présentateur vedette de TF1, Roger Gicquel, expliquait aux Français que, « si l'on veut préserver les identités culturelles, il faut préserver ce

20. *Museum*, vol. 31, n° 1, 1979, p. 58.

patrimoine artistique et donc quelquefois le restituer », il ajoutait même : « Il faut bien se plier à cela. » Un mouvement paraissait lancé. L'Unesco imprimait en trois langues un « formulaire type pour les demandes de retour ou de restitution », largement diffusé à la fin des années 1970, dont on retrouve aujourd'hui maints exemplaires (vierges) dans les archives. En avril 1982, toujours dans cette logique d'ouverture, le ministère des Relations extérieures français chargeait Pierre Quoniam, alors inspecteur général à la direction des musées de France, d'une mission de réflexion sur la restitution du patrimoine africain. Entouré d'universitaires, de fonctionnaires ministériels, de conservateurs de musées, Pierre Quoniam forma un « groupe de travail sur l'Afrique » en vue de dégager les moyens d'action, les modalités, les objectifs du retour, « de manière concrète et rapide ». Remises en juillet 1982, ses conclusions qualifiaient la restitution d'« acte d'équité et de solidarité ». Dans une interview, il précisait : « Un effort d'intelligence est à faire. Le retour des biens culturels, des œuvres d'art et des documents d'histoire permettra à ces peuples de ressaisir leurs responsabilités. Il faut aider ces peuples à retrouver leur passé et leur confiance[21]. » À la même époque en Allemagne de l'Ouest, la secrétaire d'État chargée des affaires étrangères dans le gouvernement de Helmut Schmidt, Hildegard Hamm-Brücher, plaidait elle aussi pour une gestion « généreuse » de la question des restitutions.

21. Cité par A. S., « Restituer le passé de l'Afrique », *Agecop liaison*, n° 62, 1981, p. 13.

Mission impossible

Leur condescendance verbale mise à part (ces peuples qu'il faut aider), les conclusions de la « mission Quoniam » ne sont pas très éloignées des convictions qui animent aujourd'hui les auteurs du présent rapport. Mais si, une génération après Quoniam, nous sommes chargés d'une mission similaire à la sienne – mission dont l'administration française n'a du reste gardé aucune mémoire et dont il a fallu exhumer la trace dans les archives –, c'est qu'en France et malgré cette ouverture passée rien n'a bougé en quarante ans. Au contraire. Les gouvernements successifs continuent d'opposer des fins de non-recevoir aux demandes de restitution, au motif que les œuvres réclamées sont intégrées depuis longtemps au patrimoine mobilier de l'État et qu'à ce titre elles sont inaliénables.

À cet égard, l'exemple récent du Bénin est significatif : dans une lettre officielle du 26 août 2016, le ministre des Affaires étrangères et de la Coopération béninois, Aurélien Agbenonci, demandait la restitution des statues zoomorphes et des insignes royaux emportés par le colonel français Alfred Amédée Dodds lors du sac des palais d'Abomey en 1892 et offerts par ce dernier au musée d'ethnographie du Trocadéro, dont les collections ont intégré le musée du quai Branly à Paris. Le courrier précisait que ces pièces ont pour la nation béninoise une double valeur historique et spirituelle ; qu'il s'agit de biens irremplaçables, témoins d'un temps et d'une royauté révolus, certes, mais supports vivants de la mémoire collective du Bénin. La réponse s'est fait attendre quatre mois. Le 12 décembre 2016, le gouvernement français finissait par expliquer que la France elle aussi est attachée à la circulation et à la protection du patrimoine ; qu'elle a conscience de l'importance historique et culturelle de ces pièces pour le Bénin ; qu'elle a ratifié en 1997 la convention de l'Unesco de 1970 sur l'exportation illicite des biens culturels ; mais que, cette convention n'ayant pas de portée rétroactive et conformément à la législation en vigueur, les trésors d'Abomey sont soumis au principe d'inaliénabilité. En 2016, la France admettait donc la légitimité de la demande, mais lui opposait un point de droit patrimonial français.

Un demi-siècle après l'accession des pays d'Afrique à leur indépendance, la question des restitutions patrimoniales semblait alors enlisée dans une double temporalité : celle de l'attente ou de la résignation des uns ; celle de l'aplomb que confère aux autres, après de longues décennies, le sentiment de propriété, de légitimité scientifique et de bons services rendus au patrimoine de l'humanité. Ces deux temporalités se rejoignent en un point : elles semblent avoir produit chez les uns et les autres une certaine ankylose institutionnelle. Parmi nos interlocuteurs, surtout en France, il est arrivé souvent qu'on qualifie nos travaux de « mission impossible ». En avril 2018, Oswald Homéky, jeune ministre du Tourisme, de la Culture et des Sports au Bénin, nous confiait pour sa part à Cotonou que, si la France, un jour, restituait vraiment à l'Afrique son patrimoine culturel, ce serait « comme la chute du mur de Berlin ou la réunification des deux Corées ».

Peut-on, dès lors, envisager des restitutions heureuses et consenties, motivées par le double intérêt des peuples et des objets ? Peut-on penser des restitutions dont l'enjeu ne serait ni purement stratégique, ni simplement politique ou économique, mais aussi et vraiment culturel au sens premier du verbe *colere*, qui est « habiter », « cultiver »,

« honorer » ? L'annonce faite à Ouagadougou le laisse penser. Elle tire peut-être sa force d'un changement de génération. Elle suggère qu'un nouvel avenir est possible. Elle postule la spécificité du cas africain. Et contre toute attente, elle n'a pas suscité en France la levée de boucliers institutionnels à laquelle nous ont habitués les discussions de ces dernières années. Au contraire. Invité par plusieurs médias à réagir aux déclarations d'Emmanuel Macron, le président du musée du quai Branly s'est plu à abonder en son sens, soulignant qu'on ne « peut avoir un continent privé à ce point des témoignages de son passé et de son génie plastique », que la situation « n'a pas vocation à durer » et « que le destin de ces pièces passera certainement par le retour d'une partie d'entre elles »[22]. Réunis à la demande de la mission début juillet 2018, les conservateurs des principaux musées de collectivités territoriales et de l'État détenant des collections d'objets africains en France se sont montrés tout aussi ouverts et intéressés par la démarche de restitution et les perspectives de coopération qu'elle ouvre.

Des opinions publiques mobilisées

Il faut dire que, partout en Europe, la pression exercée par l'opinion publique augmente. Depuis le début des années 2010, le dossier des restitutions n'est plus l'affaire privilégiée de cénacles restreints, ni en Afrique ni en Europe. L'intérêt croissant que la société civile porte à ces questions se mesure au nombre de romans, films, documentaires,

22. « Stéphane Martin : "L'Afrique ne peut pas être privée des témoignages de son passé" », art. cité.

installations d'art contemporain, colloques universitaires, tweets et autres chansons de rap, chorégraphies même, qui lui sont consacrés. En France comme en Allemagne et en Grande-Bretagne, mais aussi au Cameroun, au Bénin, en Éthiopie, au Nigeria ou au Ghana, des associations militantes à but non lucratif se sont vigoureusement emparées du sujet ces derniers temps, exigeant des réponses de la classe politique.

En France, c'est le Cran (Conseil représentatif des associations noires) et son président d'honneur, Louis-Georges Tin, qui ont mis la question des restitutions à l'ordre du jour politique en 2013. La campagne du Cran auprès des présidents français successifs, ainsi qu'au Bénin, a largement contribué à faire progresser le dossier. En région parisienne, des associations telles qu'Alter Natives sensibilisent des jeunes de Paris et de Seine-Saint-Denis, par le biais de conférences, de voyages et d'ateliers tenus dans leurs quartiers, à la question des patrimoines africains dans les musées d'Europe.

Sur le site d'information en ligne ModernGhana.com, l'ancien fonctionnaire des Nations unies et citoyen militant Kwame Opoku a publié depuis 2008 plus de cent cinquante articles richement documentés en faveur des restitutions du patrimoine africain à l'Afrique. En Éthiopie, l'association Afromet (Association for the Return Of the Magdala Ethiopian Treasures) milite pour le retour des biens culturels saisis par l'armée britannique à Magdala en 1868. Au Cameroun et dans plusieurs villes d'Europe, la fondation AfricAvenir International, créée par l'historien Kum'a Ndumbe III, s'est engagée depuis 2013 dans plusieurs campagnes de sensibilisation à la question des restitutions. Au Bénin, la fondation Zinsou et sa présidente, Marie-Cécile Zinsou, mobilisent la jeunesse sur le terrain comme sur les réseaux sociaux. Depuis 2013, à Berlin, l'association No Humboldt 21 fédère l'opposition au futur musée ethnologique au sein du Humboldt Forum et milite pour la restitution des restes humains et biens culturels d'origine africaine conservés en Allemagne. À l'université de Cambridge, un groupe d'étudiantes et d'étudiants s'engage depuis quelques années pour la restitution d'œuvres provenant du pillage de Benin City par l'armée britannique en 1897, conservées pour partie dans les collections de leur université.

À ces initiatives associatives et militantes s'ajoutent partout en Europe et en Afrique les travaux toujours plus nombreux de (jeunes) universitaires : juristes – comme le Working Group of Young Scholars in Public International Law, qui depuis 2018 anime un blog consacré au patrimoine culturel dans un monde postcolonial (« Cultural Heritage in a Post-Colonial World ») ; ethnologues – réunis par exemple autour de Paul Basu au sein du groupe « Museum Affordances : Activating West African Ethnographic Archives and Collections through Experimental Museology à la School of Oriental and African Studies » (SOAS) à Londres ; historiens de l'art – comme ceux qui ont participé autour de Felicity Bodenstein et Didier Houénoudé, en juillet 2018, à l'université d'été de Porto-Novo au Bénin sur le thème des processus de patrimonialisation (« Heritage-Making Processes ») ; ou encore anthropologues, qui s'interrogent sur la validité même et les usages de la notion de patrimoine hors d'Europe[23]. À ceux-là

23. Julien Bondaz, Florence Graezer Bideau, Cyril Isnart et Anaïs Leblon (dir.), *Les Vocabulaires locaux du « patrimoine ». Traductions, négociations et transformations*, Berlin, LIT Verlag, 2014.

s'ajoute aussi une génération de jeunes conservateurs de musées très engagés, qui en Afrique comme en Europe et en France, à Angoulême, Nantes ou Lyon par exemple, s'interroge avec toujours plus d'acuité sur la manière de « réinventer les musées », pour reprendre le titre du remarquable ouvrage collectif dirigé en 2007 par El Hadji Malick Ndiaye, actuel conservateur du musée Théodore-Monod, à Dakar[24]. À certains égards, la création récente, par l'Institut national d'histoire de l'art, d'un programme de recherche sur les « lieux et temps des objets d'Afrique » et, par le Collège de France, d'une chaire internationale consacrée à l'histoire culturelle des patrimoines artistiques en Europe, et donc aussi à l'histoire des collections issues de la période coloniale, témoigne de la capacité des institutions académiques à s'emparer d'une question d'envergure globale.

Mais, au-delà des milieux associatifs et universitaires, c'est sans doute dans le monde de la création contemporaine – de la culture savante à la culture populaire – que la question des collections formées à l'époque coloniale et de leur possible restitution a trouvé ces dernières années l'écho le plus significatif. En 2017, la documenta de Cassel, l'un des grands rendez-vous mondiaux de l'art contemporain, accordait une place centrale au motif des restitutions. Sous la plume de Philippe Dagen, *Le Monde* constatait en août 2017 : « La documenta de Cassel réunit les pillages coloniaux et nazis. Désormais, des artistes s'emparent de ces sujets tus pendant des décennies,

24. Cf. aussi Thomas Laely, Marc Meyer et Raphael Schwere (dir.), *Museum Cooperation between Africa and Europe: A New Field for Museum Studies*, Bielefeld, Transcript Verlag, 2018.

et placent le public face à des faits, des dates et des preuves. » En mai 2018, sous le titre « Reprendre », le Centre national d'art et de culture Georges-Pompidou présentait une série de films d'artistes consacrés au même sujet : *The Visitor* (2007), de l'artiste suisse Uriel Orlow, et *Fang : An Epic Journey* (2001), de la réalisatrice américaine Susan Vogel. Tout récemment, en septembre 2018, l'artiste Kader Attia s'interrogeait publiquement, lors d'un colloque organisé par ses soins à Paris, sur les possibilités de « décoloniser la collection ». On pourrait multiplier les exemples, dans le domaine de la littérature et de la danse notamment, qu'il s'agisse de l'astucieuse fable tissée par Arno Bertina autour de la réclamation fictive d'un chef-d'œuvre bamiléké au musée du quai Branly (*Des lions comme des danseuses*, 2015), du roman où Fatoumata Ngom met en scène une conservatrice de musée originaire d'Afrique dont la vie est bouleversée par la découverte d'un masque dans un musée parisien (*Le Silence du totem*, 2018) ou de la performance du danseur et chorégraphe Faustin Linyekula au Metropolitan Museum of Art de New York, *Banataba* (2017), inspirée d'une statue de l'ethnie des Lengola conservée dans le musée américain. Quant à l'industrie cinématographique, elle s'est emparée depuis longtemps du sujet, avec un certain nombre de *blockbusters* spectaculaires : *Chinese Zodiac* (2012), de Jackie Chan, où il est question de la reprise à Paris, par le héros des arts martiaux, d'objets pillés en Chine par la France et l'Angleterre au XIXe siècle ; *Invasion 1897* (2014), du réalisateur Lancelot Oduwa Imasuen, où un étudiant nigérian vole au British Museum, à Londres, une œuvre appartenant à ses ancêtres ; le foudroyant *Black Panther* (2018), de Marvel Studios, milliardaire au box-office, dont la trame se noue devant les vitrines africaines d'un musée britannique fictif, lors d'un fascinant dialogue entre un jeune Africain-Américain et une conservatrice de musée… Dans le monde entier, la question des translocations patrimoniales et de la propriété d'objets muséalisés en Europe à l'époque coloniale est devenue aujourd'hui un sujet partagé à tous les niveaux du savoir et de la culture.

Last but not least, c'est moins paradoxal qu'il n'y paraît : dans le milieu européen des collectionneurs et des marchands d'art, certains s'engagent de manière à la fois discrète et efficace, depuis quelques années, pour mener à bien des restitutions « définitives » d'œuvres africaines à l'Afrique, sans attendre pour cela l'appui des pouvoirs publics. C'est le cas par exemple du galeriste parisien Robert Vallois, initiateur et mécène d'un musée qui se trouve au sein d'un centre culturel de Cotonou et où sont exposés une centaine d'objets dynastiques béninois (récades) acquis par ses soins et ceux d'un groupe de confrères sur le marché de l'art international. C'est aussi le cas de l'homme d'affaires congolais Sindika Dokolo qui possède une collection d'art africain contemporain et classique très importante et qui, le 7 juin 2018 à travers sa fondation, a restitué au gouvernement angolais six œuvres du patrimoine du peuple Chokwé volées durant la guerre civile angolaise (1975-2002) qu'il a rachetées sur le marché de l'art. C'est également le cas du collectionneur néerlandais Jan Baptist Bedaux, qui mène actuellement d'importantes négociations pour offrir son imposante collection d'objets Tellem et Dogon au musée national du Mali, à Bamako (650 pièces) ; et celui du collectionneur Joe Mulholland et de sa famille, à Glasgow, qui envisagent de donner une centaine de pièces précieuses au même musée. Ou encore celui d'un citoyen britannique, Mark Walker, héritier de bronzes saisis par son grand-père à Benin City lors de l'expédition punitive de 1897, qui a décidé de les restituer directement à l'Oba du Bénin en 2014, accompagnant le geste de ce commentaire : « Il était très touchant d'être accueilli avec tant d'enthousiasme et de gratitude, pour pas grand-chose. Je rapportais simplement quelques objets d'art à un endroit où je sentais qu'ils seraient bien pris en charge[25]. »

25. Ellen Otzen, « The Man who Returned his Grandfather's Looted Art », BBC.com, 26 février 2015.

CHAPITRE 2

Restituer

> « Quand les hommes sont morts, ils rentrent dans l'histoire. Quand les statues sont mortes, elles rentrent dans l'art. Cette botanique de la mort, c'est ce que nous appelons la Culture. »
>
> *Les statues meurent aussi* (1953),
> court métrage de Chris Marker et Alain Resnais.

L'une des questions qui s'est imposée dès le début de la mission est celle du sens que nous devions donner au terme « restitution ». Lors de son discours du 28 novembre 2017 à Ouagadougou, le président de la République française annonçait sa volonté d'œuvrer à ce que, « d'ici cinq ans, les conditions soient réunies pour des restitutions temporaires ou définitives du patrimoine africain en Afrique ». Dans le préambule de la lettre de mission qui fixe le cadre du présent travail, il souligne tout aussi explicitement sa volonté de « lancer une action déterminée en faveur de la circulation des œuvres et du partage des connaissances collectives des contextes dans lesquels ces œuvres ont été créées, mais aussi prises, parfois pillées, sauvées ou détruites ». Cette circulation, écrit-il ensuite, « pourra prendre différentes formes, jusqu'à des modifications pérennes des inventaires nationaux et des restitutions ». L'objet du propos est clair : il s'agit de procéder à des « restitutions » patrimoniales – d'ailleurs, le terme est mentionné à trois reprises dans la lettre.

Lever les ambiguïtés

Toutefois, cette lettre de mission, parce qu'elle évoque à la fois des « restitutions temporaires » et des « restitutions définitives », est porteuse d'une ambiguïté qu'il a paru indispensable de lever très vite. L'expression « restitution temporaire » fonctionne à première vue comme un oxymore : elle peut laisser penser que les objets concernés seront restitués pour un temps seulement, c'est-à-dire que leur retour n'aura pas de caractère définitif. Cette formulation ouvre la porte à des querelles d'interprétation, ainsi que l'ont montré les échanges avec quelques-uns de nos interlocuteurs, persuadés qu'au fond il ne s'agit pas d'un projet de « restitutions », mais plutôt d'une seule « mise en circulation » accrue des objets du patrimoine africain. Cette tension invite à une lecture analytique des postures variées qui polarisent les débats. L'une d'entre elles revient à estimer que les musées aujourd'hui dépositaires des objets devraient s'engager avec davantage de vigueur dans leur *mise en mouvement*, et amplifier le nombre de partenariats et d'échanges avec le continent africain, ses acteurs culturels et ses institutions. Un autre discours, très souvent soutenu par les représentants des cultures dépossédées, pose plus franchement la question d'un *transfert de propriété*, dont la force symbolique est jugée plus puissante. Le présent rapport explore et défend la voie vers des restitutions pérennes.

Pour les adeptes d'une vision des restitutions comprises comme dynamiques de « circulations » d'objets, cette substitution terminologique présente plusieurs avantages. Elle permet d'abord d'esquiver la charge morale liée au terme de restitution et de faire l'impasse sur les biographies complexes des pièces concernées, tout comme les conditions parfois problématiques dans lesquelles elles ont intégré les collections nationales françaises. Ensuite, en faisant l'économie d'une réflexion sur la question de la propriété légitime, elle perpétue une forme de surdité envers les discours des pays dépossédés, pour lesquels cet aspect se trouve au cœur des débats. Elle évite de poser la question des conséquences légales de restitutions véritables, celles liées au transfert de propriété – à savoir la modification nécessaire du droit patrimonial français, qui garantit l'inaliénabilité et l'insaisissabilité de ces objets. Enfin, la circulation n'aurait de sens que si elle ne se faisait pas entre un pôle qui a tout et un autre qui, en comparaison, n'a que trois fois rien. Une Afrique exsangue de ses objets n'est pas en situation d'entrer dans un processus de circulation, si l'on entend ce terme dans son sens plein, celui d'un mouvement des objets dans toutes les directions possibles.

C'est pourquoi, dans le cadre de notre mission, nous avons choisi de donner à l'expression « restitutions temporaires », telle qu'elle apparaît dans la lettre de mission, le sens suivant : solution transitoire, le temps que soient trouvés des dispositifs juridiques permettant le retour définitif et sans condition d'objets du patrimoine sur le continent africain.

Ce que restituer veut dire

Littéralement, « restituer » signifie rendre un bien à son propriétaire légitime. Ce terme rappelle que l'appropriation et la jouissance du bien que l'on restitue reposent sur un acte moralement répréhensible (vol, pillage, spoliation, ruse, consentement forcé, etc.) qui délégitime la propriété dont on se prévaut et la rend indue, sinon inquiète. Dès lors, *restituer* vise à *ré-instituer* le propriétaire légitime du bien dans son droit d'usage et de jouissance, ainsi que dans toutes les prérogatives que confère la propriété (*usus*, *fructus* et *abusus*). L'implicite du *geste* de restitution est bel et bien la reconnaissance de l'illégitimité de la propriété dont on s'est jusque-là prévalu, quelle qu'en soit la durée. Par conséquent, l'acte de restitution tente de remettre les choses à leur juste place. Parler ouvertement des restitutions, c'est parler de justice, de rééquilibrage, de reconnaissance, de restauration et de réparation, mais surtout : c'est ouvrir la voie vers l'établissement de nouveaux rapports culturels reposant sur une éthique relationnelle repensée.

Les questions que soulève la restitution sont donc loin de se limiter aux seuls aspects juridiques relatifs à la propriété légitime. Elles sont également d'ordre politique, symbolique, philosophique et relationnel. Les restitutions engagent une réflexion profonde sur l'histoire, les mémoires et le passé colonial, autant que sur l'histoire de la formation et du développement des collections muséales occidentales ; mais également sur les différentes conceptions du patrimoine, du musée et de leurs modalités de présentation des objets ; sur la circulation des choses et, enfin, sur la nature et la qualité des relations entre les peuples et les nations.

Translocations, transformations

Après des décennies, voire parfois des siècles d'absence, se pose naturellement pour les sociétés concernées par d'éventuels retours d'objets la question fondamentale de leur réappropriation symbolique. Est-il possible de *ré-instituer* des pièces dans leurs milieux et sociétés d'origine, de les voir recouvrer leurs usages et fonctions, après une si longue absence ? Si certains dispositifs symboliques demeurent actifs, la plupart de ces environnements ont été sujets à de profondes mutations, certaines géographies se sont déplacées, et l'histoire a continué à arpenter ses imprévisibles chemins.

Ce que constitue l'ensemble des objets déplacés est en somme une « diaspora », selon l'expression du spécialiste de l'art moderne africain John Peffer[1]. Une fois déplacés, les objets sont passés par divers processus et épreuves de re-sémantisations successives, et ont connu une surimposition de plusieurs couches de signification. La théoricienne de la culture Lotte Arndt note qu'à la violence littérale que sont le vol ou l'embargo s'ajoute celle infligée aux objets eux-mêmes, qui voient souvent leurs « accoutrements » dépouillés, vernis ou remodelés ; leurs dénominations, identités, significations et fonctions anéanties ou altérées[2]. Comment, donc, restituer à ces objets le sens et les fonctions qui ont jadis été les leurs, sans négliger le fait qu'ils ont été capturés, puis remodelés par une pluralité de dispositifs

1. « Africa's Diasporas of Images », *Third Text*, vol. 19, n° 4, 2005, p. 339.
2. Lotte Arndt, « Réflexions sur le renversement de la charge de la preuve comme levier postcolonial », *bs n° 12. Le journal de Bétonsalon*, 2011-2012, p. 11-19.

sémantiques, symboliques et épistémologiques plusieurs décennies durant. Dans certains cas, des pièces sacrées ou des objets de culte sont devenus des œuvres d'art à contempler pour elles-mêmes, des objets ethnographiques, ou encore de simples artefacts à valeur de témoignage historique. Lors de l'atelier de réflexion réuni à Dakar, Simon Njami soulignait que le retour des objets ne signifiait pas qu'on allait les restituer tels qu'ils furent, mais les réinvestir d'une fonction sociale. Il ne s'agit pas du retour du même, mais du « même différent »[3].

Ce sont toutes ces interrogations relatives à l'entremêlement, à l'addition et à la soustraction de valeurs que soulève la restitution d'un patrimoine dans un espace-temps différent de celui où il a été capturé.

Pourquoi donc restituer ? S'agit-il, pour les Français, de s'alléger de collections symboliquement « encombrantes » et de solder à moindres frais un lourd passé colonial, de s'affranchir de l'exigence de son intelligibilité ? D'user de l'espace symbolique comme d'un outil de *soft power* visant à « revaloriser » l'image de la France auprès d'une jeunesse africaine de moins en moins francophile ? D'envoyer un message aux diasporas africaines en France ? Ou d'instituer une nouvelle éthique relationnelle entre les peuples en contribuant à leur rendre une mémoire empêchée ? D'accomplir un travail nécessaire sur sa propre histoire en acceptant une mise en débat d'un chapitre de son passé colonial avec le devoir de vérité qui en est le corollaire ? Et pour les Africains, que pourraient signifier des restitutions ?

3. « Ce que restituer veut dire » (panel), atelier de Dakar, 12 juin 2018.

Mémoire et amnésie des pertes

La majorité des objets présents dans les musées ethnographiques européens ont été acquis dans le cadre colonial. Pour les nations africaines, il sera dans certains cas possible de retrouver le contexte culturel et esthétique des œuvres une fois celles-ci restituées. Des communautés ont maintenu vivant leur rapport aux objets de leur patrimoine par la perpétuation de traditions et de rituels : chefferies dans l'ouest du Cameroun, communautés religieuses au Bénin, au Mali, au Sénégal, ou encore au Nigeria. Dans ces contextes, certains objets seront susceptibles de retrouver une fonction, même réinventée, dans le paysage culturel de ces communautés[4].

Pour d'autres, l'amnésie a fait son œuvre et l'entreprise d'effacement de la mémoire a si bien réussi que certaines communautés ignorent jusqu'à l'existence de ce patrimoine et la profondeur de la perte subie. Cela explique les écarts d'intérêt autour de la question des restitutions sur le continent africain, comme nous avons pu le constater lors des entretiens menés sur place. Dans les pays où la perte du patrimoine est liée à des événements violents, douloureux ou tragiques (fin du royaume d'Abomey en 1892, sac de Benin City en 1897, bataille de Magdala en Éthiopie en 1868, etc.), la mémoire est encore vivace et la question est brûlante. Pour d'autres, elle semble secondaire, les

4. Lors de l'atelier de Dakar du 12 juin 2018, le prince Kum'a Ndumbe III rappelait que les objets ne regagneront pas le néant, et que l'Afrique vit. Les objets réintégreront une « famille » et offriront une chance exceptionnelle de « renaissance » pour le continent. Leur retour formulera la synthèse entre « ce qui a toujours été là, ce qui revient et revit ».

translocations s'étant déroulées sans bruit ni fureur par le biais de missions ethnographiques ou de cession d'objets sur le marché de l'art. De toute évidence, la remémoration et le travail sur l'histoire sont aussi importants que les restitutions à proprement parler.

Resocialiser les objets du patrimoine

Il s'agit donc, pour les pays africains, d'accomplir une double tâche de reconstruction de leur mémoire et de réinvention de soi, par une re-sémantisation et une resocialisation des objets de leur patrimoine, en reconnectant ceux-ci aux sociétés actuelles et à leurs contemporanéités. C'est à ces communautés qu'il revient de définir leur vision du patrimoine, les dispositifs épistémologiques et les écologies, nécessairement pluriels, dans lesquels elles souhaitent insérer ces objets.

Nos séjours dans plusieurs pays d'Afrique nous ont fait prendre la mesure des variétés de dispositifs d'accueil potentiels : de l'institution ultramoderne (comme le Musée des civilisations noires, à Dakar) à la « case patrimoniale » (palais du roi de Bafoussam, au Cameroun) ; des musées de facture classique et de haute tenue (musée national du Mali, à Bamako) à des formes traditionnelles de conservation vitalisées par des architectures et des concepts novateurs (nouveau musée du palais des rois Bamoun, à Foumban, au Cameroun). Sur tout le continent africain, les lieux du patrimoine existent, ils sont nombreux dans certains pays et relèvent de typologies variées *(voir carte 1, p. 57)*.

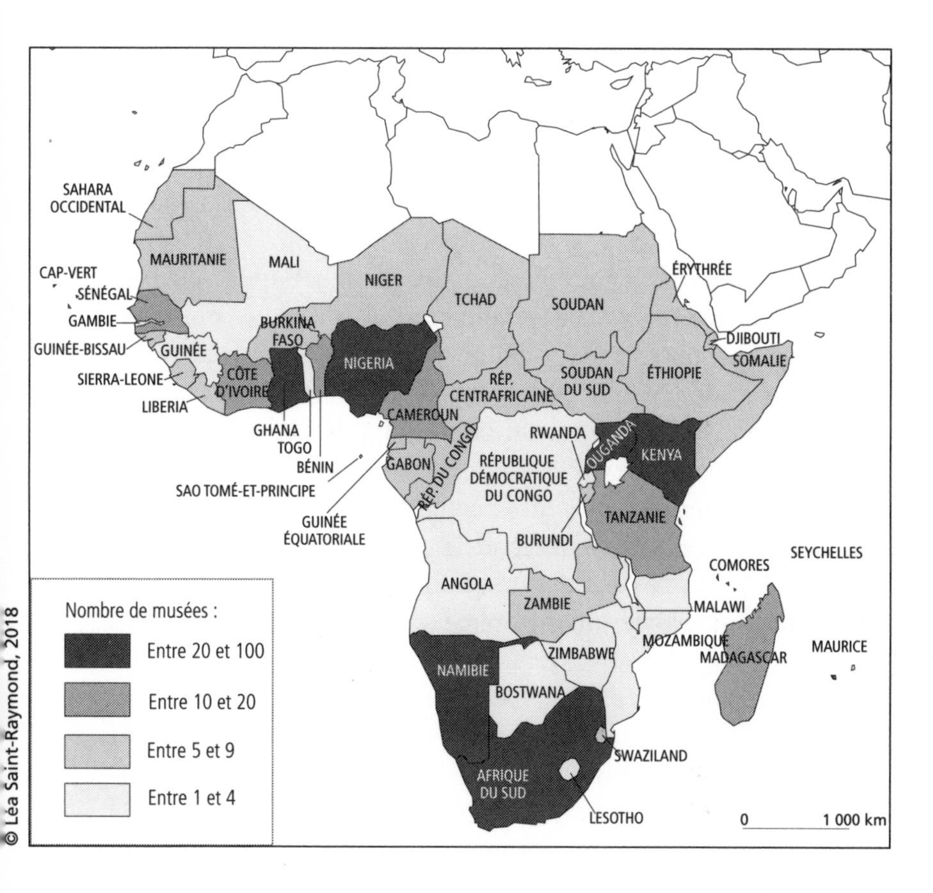

Carte 1. Institutions muséales en Afrique au sud du Sahara (octobre 2018)

On dénombre plus de cinq cents musées dans les États africains situés au sud du Sahara. La situation des musées dans cette partie du continent africain est hétérogène. Certains pays ont des musées de qualité et l'expertise nécessaire pour accueillir les œuvres dans de bonnes conditions (Afrique du Sud, Mali, Namibie, Sénégal, etc.) ; d'autres ont déjà entrepris des efforts de construction de nouvelles infrastructures muséales et de réhabilitation de celles qui existent (Bénin, Cameroun) ; pour une dernière catégorie, des efforts sont à faire pour améliorer la qualité de l'infrastructure.

Source : répertoire du West African Museum Programme (WAMP), complété par les données d'Andrea Meyer (Technische Universität Berlin).

Les objets, selon les fonctions qui leur seront assignées au retour, pourront aussi trouver leur place dans des centres d'art, des musées universitaires, des écoles, ou au sein de communautés pour leurs usages rituels, avec des possibilités d'allers-retours entre celles-ci et des institutions vouées à la conservation. C'est déjà le cas au Mali, où le musée national prête régulièrement certains objets pour des pratiques rituelles et les récupère ensuite afin de les préserver, comme a pu nous l'expliquer l'actuel directeur des lieux, Salia Malé. Notre travail de terrain a ainsi révélé que la distribution des objets du patrimoine dans l'espace social pouvait se concevoir selon une variété de configurations, et que le modèle du musée centralisant les objets du patrimoine ne se dégage que comme une option parmi d'autres. Cet éclatement spatial du patrimoine permet aux pièces de remplir une fonction différente selon chaque lieu (pédagogique, remémorative, créative, spirituelle, médiatrice, etc.).

Les objets du patrimoine peuvent ainsi redéfinir et redessiner des territorialités débordant du cadre national. Certains objets ont été produits par des communautés aujourd'hui à cheval sur plusieurs frontières héritées du fait colonial. Ici, le patrimoine aura pour fonction d'abolir les frontières tracées par la conférence de Berlin (1884-1885) en mobilisant des communautés autour de biens matériels symbolisant leur unité et leur identité dynamique dans des géographies transfrontalières. La famille omarienne, descendante d'El Hadj Omar Foutiyou Tall, fondateur de l'Empire toucouleur, par exemple, se trouve à la fois au Sénégal, au Mali, en Mauritanie et en Guinée. Chaque année, elle organise un rassemblement autour de l'héritage spirituel d'El Hadj Omar, dont une partie des reliques se trouve conservée au Muséum d'histoire naturelle de la ville du Havre, les manuscrits (518 pièces) dans le fonds Archinard de la Bibliothèque nationale de France, et l'épée au musée de l'Armée, à Paris. Cette communauté réclame depuis 1994 aux autorités françaises le retour des reliques du fondateur et la numérisation de ses manuscrits, en vain.

Il s'agit d'un cas parmi d'autres, qui invite à penser la notion de patrimoine sur un mode ouvert et fluide. Au sein des sociétés africaines, le rapport aux choses et à leur cycle de vie, à l'idée même de conservation ou de propriété partagée, mais aussi les modalités de leurs appropriations par les communautés prennent des formes plurielles. Le retour d'objets devra ainsi prendre en compte la richesse et la multiplicité de ces conceptions patrimoniales alternatives, en se dégageant du seul cadre de pensée européen. Les réflexions sur les restitutions exigent aussi de *démystifier* les conceptions occidentales du patrimoine et de la conservation.

De la vie et de l'esprit des objets

La vie des objets est souvent pensée sous la seule dimension de leur conservation. Celle-ci suscite une crainte non dissimulée de la part des professionnels des musées occidentaux et du grand public. Est ainsi régulièrement pointée l'absence de « compétences » adéquates en ce domaine dans les musées africains, sans que l'on se demande comment ces sociétés ont conservé les pièces qu'elles ont produites pendant des siècles, sous leurs climats et dans leurs écologies respectives. Si elle est en effet importante, la question de la bonne conservation des objets ne saurait remettre en cause le projet de restitution : la situation des musées en Afrique est loin d'être aussi désastreuse qu'on la présente. Elle varie considérablement d'un pays à l'autre et le retour des objets ne manquera pas d'entraîner, là où c'est nécessaire, les aménagements indispensables. L'histoire des restitutions montre que, lorsque les œuvres reviennent, les États s'organisent pour les accueillir convenablement et mettent en œuvre les politiques infrastructurelles adéquates, comme en témoigne en Europe la vague de création de musées suscitée par les restitutions françaises de 1815.

S'ajoute à cette donnée la méconnaissance du rapport que ces sociétés entretiennent avec le cycle de vie des artefacts qu'elles ont produits. Dans beaucoup de sociétés africaines en effet, *les statues meurent aussi*. Elles ont une durée de vie et sont prises dans le cycle d'une économie régénérative qui se fonde sur une conception ouverte de la matérialité et de l'identité ontologique. Certains objets sont dépositaires d'influx et de champs énergétiques qui en font des objets animés et des puissances actives, médiatrices entre les différents ordres de réalité. Des masques sont enterrés au bout de quelques années et recréés afin que se renouvellent les influx énergétiques qui leur confèrent une puissance opératoire. Ces objets sont aussi des réserves d'imagination et la manifestation matérielle de savoirs. Des nasses de pêcheurs qui encodent des algorithmes et des fractales aux statues zoomorphes, en passant par les gilets d'amulettes : le travail de décodage des connaissances qu'ils recèlent, mais également de compréhension des épistémês qui les ont produites, est encore largement à faire. Les sociétés africaines ont, dans la longue durée de leur histoire, produit des formes inédites de médiation entre l'esprit, la matière et le vivant. Achille Mbembe explique qu'elles ont engendré des systèmes ouverts de mutualisation des connaissances au sein d'écosystèmes participatifs, où le monde est une réserve de potentiels[5]. D'ailleurs, certains de ces artefacts ne sont pas de simples objets, mais bien des sujets agissants. Et c'est par le biais des rituels, des cérémonies et de ces rapports de réciprocité, précise Mbembe, qu'une subjectivité était attribuée à tout objet inanimé. Les objets sont des médiateurs de correspondances, de métamorphoses et de passages dans des écosystèmes caractérisés par la fluidité et la circularité. Dans un univers réticulaire, ils sont les opérateurs d'une identité relationnelle et plastique, dont le but est de participer au monde et non de le dominer.

Souleymane Bachir Diagne, dans *Léopold Sédar Senghor. L'art africain comme philosophie*[6], souligne que la statuaire africaine ne relève pas uniquement d'un art figuratif ou analogique : elle est le support et le vecteur d'un discours philosophique et symbolique ainsi qu'une expression de l'ontologie de la force vitale. Toutes ces archives, les savoirs, les univers et les ressources cognitives qu'elles recèlent, restent à être explorés. Les processus de restitution pourront dynamiser les études actuellement menées, et ouvrir la voie à de nouveaux et ambitieux programmes de recherche (académiques ou artistiques) en Afrique.

Travailler l'histoire, reconstruire la mémoire

Les mémoires de la situation coloniale influent sur la présence au monde des peuples africains contemporains.

5. *Notes sur les objets sauvages*, à paraître.
6. Paris, Riveneuve, 2007.

Ce régime d'historicité continue à structurer les manières d'être, les relations entre nations anciennement colonisées et colonisatrices, et entre les peuples qui en sont issus, aussi bien sur le continent africain que dans ses diasporas. Les études postcoloniales, telles qu'elles se sont développées depuis les années 1980, révèlent la colonialité latente et diffuse dans les rapports multiples (politiques, économiques, épistémologiques, culturels) qu'entretiennent les nations désormais indépendantes avec leurs anciennes métropoles. Sortir des représentations et des impensés liés à ce passé exige un travail sur l'histoire et les imaginaires d'une relation qui, elle-même, reste à être décolonisée.

Dans ce cadre, il semble ici essentiel de rappeler que l'absence du patrimoine peut rendre la mémoire silencieuse, et difficile le travail sur l'histoire de jeunes nations devant affronter la délicate question de la construction d'une communauté politique et d'un projet d'avenir. Envisager les futurs possibles nécessite de solder les séquelles de la situation coloniale. S'il accompagne le retour d'objets emblématiques, le travail de mémoire peut agir comme un opérateur de reconstruction de l'identité des sujets et des communautés. Lorsque le collectif considère le passé comme un « problème à résoudre », surtout si celui-ci a laissé des traumatismes (violences, guerres, génocides…), un travail de réappropriation et de négociation vis-à-vis de ce passé est nécessaire afin que s'enclenchent une cure et un processus de résilience. L'histoire est ici indispensable : elle découd la trame du présent et offre une intelligibilité des dynamiques contemporaines, en particulier de tout ce qui, en elles, est déterminé par le passé. Elle est, comme le soulignait l'historien Marc Bloch, une « science des hommes dans le temps » permettant de se penser comme un « corps social » en mouvement[7].

L'historienne américaine Lynn Hunt indique pour sa part que la vérité historique, aussi irréfutable et prouvée soit-elle, c'est-à-dire fondée sur des archives, des traces et des témoignages, n'est jamais à l'abri de menaces[8]. Cette « vérité » est d'autant plus fragile lorsque les traces censées la documenter font défaut. Comprendre le contexte dans lequel les archives et les objets du patrimoine africain ont été pris, spoliés ou déplacés est nécessaire. Ce travail permet aussi de sortir du récit unique et d'assumer une pluralité de perspectives.

Les jeunes générations d'Africains, qui n'ont pas vécu le moment colonial mais qui sont héritières d'une histoire transmise par fragments et d'une mémoire occultée par un récit tronqué, demeurent otages d'une histoire irrecevable, car non travaillée par la parole et la représentation. Dans un récent travail sur le « trauma colonial », la psychanalyste Karima Lazali souligne très justement que « la part d'Histoire refusée par le politique se transmet de génération en génération et fabrique des mécanismes psychiques qui maintiennent le sujet dans la honte d'exister[9] ». Comprendre les effets de la colonialité sur les subjectivités africaines et européennes contemporaines est fondamental. Ni en Europe ni en Afrique, la question coloniale et ses effets ne seront évacués par des slogans affirmant qu'il est temps de passer

7. *Apologie pour l'histoire, ou Métier d'historien* (1949), Paris, Armand Colin, 1993, p. 97.
8. *History : Why it Matters*, Cambridge (Mass.), Polity Press, 2018.
9. *Le Trauma colonial. Une enquête sur les effets psychiques et politiques contemporains de l'oppression coloniale en Algérie*, Paris, La Découverte, 2018.

à autre chose, mais par un travail sur les impensés d'une histoire dont on hérite, et une mise au clair des responsabilités de chacune des parties. Les patrimoines déplacés sont l'un de ces impensés. Lazali souligne également l'importance du traitement (au sens clinique du terme : prendre soin et examiner) des résidus sourds de la violence coloniale, notamment l'importance d'un examen des survivances qui ne font pas trace. Il s'agit ici d'un travail de reconstruction ou de récupération de traces manquantes, qui sont comme un membre fantôme, surtout lorsque l'histoire est privée d'archives.

Circulation des objets et plasticité des catégories

Depuis le XIXe siècle, le musée est conçu en Europe comme un lieu de conservation du patrimoine national et universel ; un espace d'instruction et de production de savoirs, « un microcosme » « dans lequel les objets, systématiquement disposés, doivent pouvoir séduire et convaincre », selon la formule de l'anthropologue Philippe Descola[10]. Dès les origines, dans une logique d'affirmation nationale, le musée permet aux puissances européennes de mettre en scène leur aptitude à absorber et à classifier le monde. On y rivalise d'inventivité typologique. On y pense les arts, les cultures, les époques, les choses de la nature, les modes de vie et les gens en systèmes cohérents, susceptibles d'être mis en séries et comparés.

Un problème surgit lorsque le musée n'est pas le lieu de l'affirmation de l'identité nationale mais qu'il est

10. « Passages de témoins », *Le Débat*, n° 147, 2007, p. 138.

conçu, ainsi que le souligne l'anthropologue Benoît de L'Estoile[11], comme un musée des *autres* ; qu'il conserve des objets prélevés ailleurs, s'arroge le droit de parler des *autres* (ou au nom des *autres*) et prétend énoncer la vérité sur eux. Germain Viatte, directeur du projet muséologique du musée du quai Branly, précisait que ce dernier était consacré « à l'art et aux cultures des civilisations non occidentales[12] ». Aussi, les musées ethnographiques, requalifiés pour certains d'« universels », où ont été entreposés des artefacts venus d'Afrique, collectés en fonction d'impératifs divers, ont été et demeurent des lieux de production de discours et de représentations *sur* les sociétés africaines. Or tout pouvoir est d'abord un pouvoir de mise en récit, comme le souligne l'historien Patrick Boucheron[13]. À travers les objets et les récits portés par les collections dites ethnographiques se sont mises en place des représentations contrôlées des sociétés, souvent essentialisées, ainsi qu'une cristallisation de catégories parfois produites par la colonialité sur les peuples et cultures africaines. À certains des artefacts ont été appliqués des régimes documentaires ou des paradigmes scientifiques aujourd'hui sujets à débat, sinon caducs. À ceci s'ajoute le fait que la durée, la temporalité et le sens de la circulation de ces objets ont donné lieu à un contrôle exclusif de la part des institutions muséales occidentales, qui décidèrent de qui pouvait avoir accès à ces objets et pour quelle durée.

11. *Le Goût des autres. De l'Exposition coloniale aux Arts premiers*, Paris, Flammarion, 2007.
12. Cité *ibid.*, p. 12.
13. Cf. sa leçon inaugurale au Collège de France, 17 décembre 2015 (*Ce que peut l'histoire*, Paris, Fayard, 2016).

Certes, des prêts temporaires à des institutions africaines ont été organisés dans le cadre de coopérations internationales. En 2006-2007, à l'occasion de l'exposition « Béhanzin, roi d'Abomey », trente objets du trésor royal de Béhanzin ayant intégré les collections du musée du quai Branly ont été présentés à la fondation Zinsou, à Cotonou. L'événement, prolongé en raison de son succès auprès du public béninois, a eu un retentissement important sur le continent. Une telle circulation a pourtant été contemporaine du refus par la France d'ouvrir le débat sur la restitution des objets concernés. L'appropriation matérielle et culturelle des objets a non seulement permis un contrôle de leur mobilité, mais également leur subversion sémantique. Les objets présents dans les collections ethnographiques françaises ont vu leurs significations fixées de manière unilatérale par ceux qui disposaient du pouvoir de produire des récits à leur sujet.

La restitution, par le transfert de la propriété qu'il permet, rompt le monopole du contrôle de la mobilité des objets par les musées occidentaux. Ceux-ci pourront circuler à nouveau, mais dans une temporalité, à un rythme et dans un sens décidés par leurs propriétaires légitimes. Ils pourront redessiner des territorialités transfrontalières qui sont celles des communautés dont ils sont issus, mais également s'offrir à une circulation continentale et mondiale. La réappropriation des objets restitués permettra aussi de renverser les catégories coloniales, de re-fluidifier des géographies rendues fixes et d'inverser le rapport hégémonique institué par la fixation des objets et le monopole du discours sur ces derniers. Reprendre la réflexion sur l'histoire des objets est un moyen d'avoir accès aux *épistémogonies* qui les ont établies dans un univers premier de sens ; mais également de faire cohabiter plusieurs régimes de savoirs sur les objets de ces communautés.

Une nouvelle éthique relationnelle

Les objets, devenus des diasporas, sont les médiateurs d'une relation qui doit être réinventée. Leur retour dans leurs communautés d'origine ne vise pas à substituer un enfermement physique et sémantique à un autre, justifié cette fois-ci par l'idée de « juste propriété ». Il s'agit bien évidemment de réactiver une mémoire occultée et de restituer au patrimoine ses fonctions signifiantes, intégratives, dynamisantes et médiatrices dans les sociétés africaines contemporaines. Mais il s'agit également, en se réappropriant ces objets, d'en redevenir les gardiens pour la communauté humaine. Ces objets, bien que situés, sont l'expression du génie humain et une traduction matérielle de sa créativité. Les visages de l'expérience humaine qu'ils reflètent sont universels. La plupart des conservateurs de musée du continent africain avec lesquels nous avons discuté l'envisagent ainsi et sont prêts à faire circuler les pièces dans une géographie continentale et mondiale. Ils envisagent même des dispositifs pour combler le vide laissé par ces objets dans les musées occidentaux, sous la forme par exemple de confection de doubles, dont la charge auratique serait assurée par des mécanismes de mise en récit usant des possibilités qu'offrent les outils numériques et les nouvelles technologies. En Ardèche, la Caverne du Pont-d'Arc propose un fac-similé de la grotte Chauvet destiné aux visiteurs, afin de préserver l'original tout en ne perdant pas la charge expérientielle et émotionnelle de la visite d'un tel site.

L'argument selon lequel restituer revient à considérer que les objets n'ont de vie légitime que dans leurs environnements géoculturels d'origine, et que ceci équivaudrait à considérer que chaque objet doit rester chez soi, est irrecevable. Cette position fait l'impasse sur la longue et riche histoire des circulations entre l'Europe et l'Afrique d'œuvres et de collections par le biais de coopérations muséales. Hamady Bocoum, le directeur du Musée des civilisations noires, estime d'ailleurs que le patrimoine présenté par les musées africains ne doit pas se limiter aux seuls objets africains. Il est nécessaire que d'autres cultures soient représentées dans les institutions africaines[14]. De même, il est important que des objets du patrimoine africain restent visibles dans les collections européennes et mondiales afin que l'Afrique assure sa présence dans l'espace muséal et l'imaginaire global.

Comme le souligne Benoît de L'Estoile, le retour des objets ne signe pas leur enclavement identitaire, mais porte avec lui la promesse d'une nouvelle économie de l'échange[15]. Les objets étant devenus les produits de relations historiques, il ne s'agit pas du retour du même : ils deviennent les vecteurs de relations futures. Ces objets peuvent avoir une nouvelle vie et devenir ce que Krzysztof Pomian appelle des « sémiophores », c'est-à-dire des objets porteurs de *nouveaux* sens[16].

14. « Ce que restituer veut dire », panel cité.
15. Intervention au Collège de France lors du colloque « Du droit des objets (à disposer d'eux-mêmes ?) » organisé par Bénédicte Savoy, 21 juin 2018.
16. *Collectionneurs, amateurs et curieux. Paris, Venise,* XVI*e*-XVIII*e* *siècle*, Paris, Gallimard, 1987, p. 49.

De la compensation et de la réparation

Cependant, cette nouvelle éthique relationnelle ne peut faire l'économie d'un travail de vérité historique sur les conditions diverses dans lesquelles les objets ont été déplacés ; sur la réalité et la profondeur de la perte que les sociétés africaines ont subie, à l'issue d'une ponction qui perdure de nos jours sous de multiples formes.

L'épineuse question de la réparation ne peut être éludée. Elle est souvent évoquée dans le contexte de crimes contre l'humanité (génocide des Herero et des Nama), de massacres violents liés à la conquête coloniale, ou de la prédation de ressources économiques, pour lesquelles la perte semble plus aisément quantifiable. Il s'agit cependant de comprendre, en ce qui concerne le patrimoine, que ce ne sont pas seulement des objets qui ont été pris, mais des réserves d'énergies, des ressources créatives, des gisements de potentiels, des forces d'engendrement de figures et de formes alternatives du réel, des puissances de germination ; et que cette perte est incommensurable parce qu'elle entraîne un type de rapport et un mode de participation au monde irrémédiablement obérés. Rendre les objets ne la compensera pas.

Il s'agit ainsi moins de compensations financières que d'un rétablissement symbolique par une exigence de vérité. Compenser consiste ici en une démarche visant à réparer la relation. La restitution des objets (devenus des nœuds de la relation), un juste travail historiographique et une nouvelle éthique relationnelle, en opérant une redistribution symbolique, peuvent réparer le lien et le renouer autour de modalités relationnelles réinventées et qualitativement améliorées.

Les communautés humaines se pensent aussi comme des corps physiques et parfois mystiques pour les communautés religieuses. Le membre manquant fonde la communauté. Dans *Reflecting Memory*, film documentaire sorti en 2016, l'artiste Kader Attia montre que la reconnaissance de ce membre perdu permet de restituer quelque chose qui, s'il ne l'est pas, continue à réclamer d'être remis à sa place. Cette reconnaissance opère comme ce miroir qui, reflétant le membre manquant chez l'amputé, lui permet de faire le deuil de celui-ci, et d'apaiser la douleur, bien réelle, causée par le membre fantôme. L'analogie peut être faite entre les douleurs individuelles et les blessures collectives immatérielles, opacifiées par un déni collectif (le refus de reconnaître et de travailler sur les mémoires douloureuses du fait colonial, par exemple). La restitution et la production de sens qui l'accompagne réparent l'absence du patrimoine qui manque et ses effets sur la psyché collective.

Cependant, la cure liée à un processus de réparation, pour les communautés affectées par la perte de leur patrimoine, si elle ne se fonde que sur la reconnaissance par l'autre du préjudice infligé, demeure inachevée. Une résilience, dépendant exclusivement de la reconnaissance de l'autre (et par l'autre), restera entravée. Un processus auto-sotériologique, prenant la forme d'une autoréparation, par un travail sur sa propre histoire, devrait s'enclencher, en libérant celui-ci de l'acte et de la parole d'autrui.

La question des archives

Intimement liée dans les consciences collectives et dans les processus historiques à la question de la restitution d'objets, celle des fonds d'archives constitués à l'époque coloniale joue dans le processus de reconstruction mémoriel un rôle central[17]. Plusieurs anciennes colonies françaises, l'Algérie en tête, réclament depuis de nombreuses années l'accès aux archives de leur propre histoire. En Afrique, tous nos interlocuteurs ont insisté sur la nécessité de mettre en œuvre non seulement la restitution d'objets de musée conservés en France, mais encore de réfléchir sérieusement à la question des archives. En maints lieux, ces *missing links* (« liens manquants ») sont devenus un véritable lieu commun, relayé par la presse, certains artistes contemporains, le personnel politique africain et les historiens des deux continents.

Pour s'en tenir au seul cas français, au moment des indépendances, les archives produites par les autorités coloniales sur le continent africain ont été divisées en deux grands ensembles : les archives de l'Afrique Occidentale française sont demeurées à Dakar d'un commun accord entre la France et le Sénégal ; celles de l'Afrique Équatoriale française en revanche ont été transférées pour partie aux Archives nationales d'outre-mer, à Aix-en-Provence (archives de souveraineté), et pour une autre partie sont demeurées à Brazzaville (archives de gestion), cette division n'étant pas toujours bien stricte. D'autres types de documents, issus par exemple des enquêtes ethnographiques menées en Afrique dans les années 1930,

17. Yann Potin, « Les archives et la matérialité différée du pouvoir. Titres, écrins et substituts de la souveraineté ? », *Pouvoirs*, 2015/2 (n° 153), p. 5 à 21.

ont été versés dans les archives de musées ou d'instituts universitaires. Depuis quelques années, des efforts ponctuels ont été menés en Europe pour remédier à cette privation de sources et de ressources[18]. Dans le cadre de la mission qui nous occupe, seules les archives actuellement conservées dans des musées publics (ou établissements apparentés) sont prises en compte : dossiers d'œuvres, inventaires, toutes formes de plus-value d'expertise produite autour des objets lors de leur muséalisation, d'une part ; et matériel audiovisuel issu d'enquêtes ethnographiques, enregistrements sonores, photographies, films documentaires sur les sociétés africaines et les individus étudiés par les scientifiques français, d'autre part. La question centrale des archives administratives, militaires, diplomatiques, dépasse amplement, quant à elle, la question de la « restitution temporaire ou définitive des patrimoines africains à l'Afrique » voulue par Emmanuel Macron. Elle doit faire selon nous l'objet d'une mission spécifique, confiée à des spécialistes des archives et de l'histoire de l'Afrique. Il y a une urgence certaine à mener cette réflexion.

18. En 2013, dans le cadre d'un programme général sur les frontières de l'Afrique, la France a remis officiellement à l'Union africaine des copies papier et numérisées d'archives françaises documentant le processus de délimitation des frontières en Afrique depuis le milieu du XIXe siècle. En 2015, deux historiens spécialistes de l'Afrique, Jean-Pierre Bat (Archives nationales, France) et Vincent Hiribarren (King's College London), ont, avec le concours de Brice Isnove Owabira (directeur des Archives nationales du Congo) et de Raoul Ngokaba (directeur des affaires administratives et financières à la Direction générale du patrimoine et des archives du Congo), créé un site internet offrant un aperçu des fonds conservés à Brazzaville, qui concernent non seulement la république du Congo mais encore le Gabon, la Centrafrique, le Tchad. Tout récemment, fin septembre 2018, la Belgique s'est engagée à numériser « toutes les archives en possession du musée de l'Afrique centrale à Tervuren et des archives royales » et de les « rendre » au Rwanda en fonction de priorités définies par une délégation d'archivistes rwandais. Le projet doit durer deux ans et engager une somme de 400 000 euros.

CHAPITRE 3

Restitutions et collections

Vouloir « restituer le patrimoine africain à l'Afrique », comme le propose Emmanuel Macron, exige une connaissance précise des collections africaines conservées en France (où sont-elles et que sont-elles ?) ; une clarté totale sur les contextes historiques et scientifiques à la faveur desquels les objets sont arrivés dans les collections qui les conservent aujourd'hui ; ainsi qu'un élan commun des professionnels des musées et du patrimoine qui, en France comme en Afrique, seront les acteurs historiques d'un projet complexe. La temporalité des restitutions, le choix des objets dont le retour est désiré de manière prioritaire, l'élaboration commune d'un « savoir-faire » des départs et des retours sont aussi importants et riches de sens que l'acte de restitution lui-même.

Le temps des retours

En France, l'arrivée massive et la muséalisation du patrimoine africain ne se sont pas faites en un jour. Elles s'échelonnent sur une période relativement longue, du dernier tiers du XIXe siècle à la seconde moitié du XXe siècle. Personne évidemment, ni en France ni en Afrique, n'envisage aujourd'hui le retour en bloc de ces ensembles historiquement formés, et progressivement transformés par l'usage symbolique, économique ou scientifique qui en a été fait en France. Personne ne veut « vider » les musées des uns pour « remplir » ceux des autres.

En outre, et il faut bien insister là-dessus aussi, le processus de restitution ne peut, à l'heure actuelle, concerner qu'une partie des objets. Il doit être progressif. S'appuyer sur un examen rigoureux de critères historiques, typologiques et symboliques. Tenir compte de la place occupée par les patrimoines déplacés dans les imaginaires et les combats politiques des communautés d'origine. Faire preuve de souplesse. Et il faut garder à l'esprit que, dans les musées occidentaux, des émotions individuelles et collectives, des fécondations esthétiques et des cristallisations inattendues ont eu lieu pendant des siècles, qui sont au cœur de l'idée de culture et d'humanité. Culture non pas au sens arrêté de « somme de connaissances », mais au sens dynamique d'élaboration et de construction, de métissage et d'hybridation.

Il paraît vain, étant donné les modes d'appropriation très variés des patrimoines africains par la France et compte tenu des émotions (colères, revendications, aspirations) tout aussi variées que leur absence a pu susciter (ou non) dans leurs pays d'origine, de vouloir formaliser à l'extrême les critères de restituabilité. Certes, ceux-ci doivent être clairement énoncés et servir de boussole. Mais l'« effort d'intelligence », pour reprendre la formule déjà citée de Pierre Quoniam, consiste surtout à poser entre les différents paramètres, au cas par cas, une équation éthiquement fondée et juridiquement viable. Les restitutions doivent être négociées par les deux parties, dans des délais adaptés au rythme de chacun.

Présence africaine

On compte actuellement dans les collections publiques françaises au moins quatre-vingt-huit mille objets provenant de l'Afrique au sud du Sahara *(voir carte 2, p. 76)*. Près de soixante-dix mille au seul musée du quai Branly ; dix-huit mille au moins, sans doute bien davantage[1], dans les musées de plusieurs villes portuaires (Cherbourg, Le Havre, La Rochelle, Bordeaux, Nantes, Marseille), le long de fleuves qui lient ces villes à l'intérieur des terres (Angoulême, Rennes), ainsi qu'à Lyon, Grenoble, Toulouse, Besançon, Dijon et dans plusieurs musées parisiens, comme le musée de l'Armée, ou dans les collections patrimoniales de la Monnaie de Paris. Cette géographie très particulière se double d'un second réseau, celui des bibliothèques, qui ont généralement bénéficié de la partition par genre d'ensembles patrimoniaux initialement cohérents, les objets étant majoritairement affectés aux musées, les livres et manuscrits de même provenance aux bibliothèques. Ces deux types d'institutions (musées et bibliothèques) ainsi que plusieurs archives publiques conservent par ailleurs des collections photographiques, cinématographiques et des documents sonores formés à l'époque coloniale, qui représentent pour les pays africains une source mémorielle de tout premier ordre.

1. D'après les informations partielles que le ministère de la Culture a pu recueillir dans le cadre de cette mission, environ 17 636 objets originaires de la partie subsaharienne de l'Afrique seraient aujourd'hui conservés dans une cinquantaine de musées publics français. Faute d'informations fiables au moment de la rédaction de ce rapport, cette estimation ne tient pas compte de collections pourtant importantes, celles de Marseille et du Havre par exemple. On peut donc considérer que l'estimation présentée ici est très inférieure à la réalité.

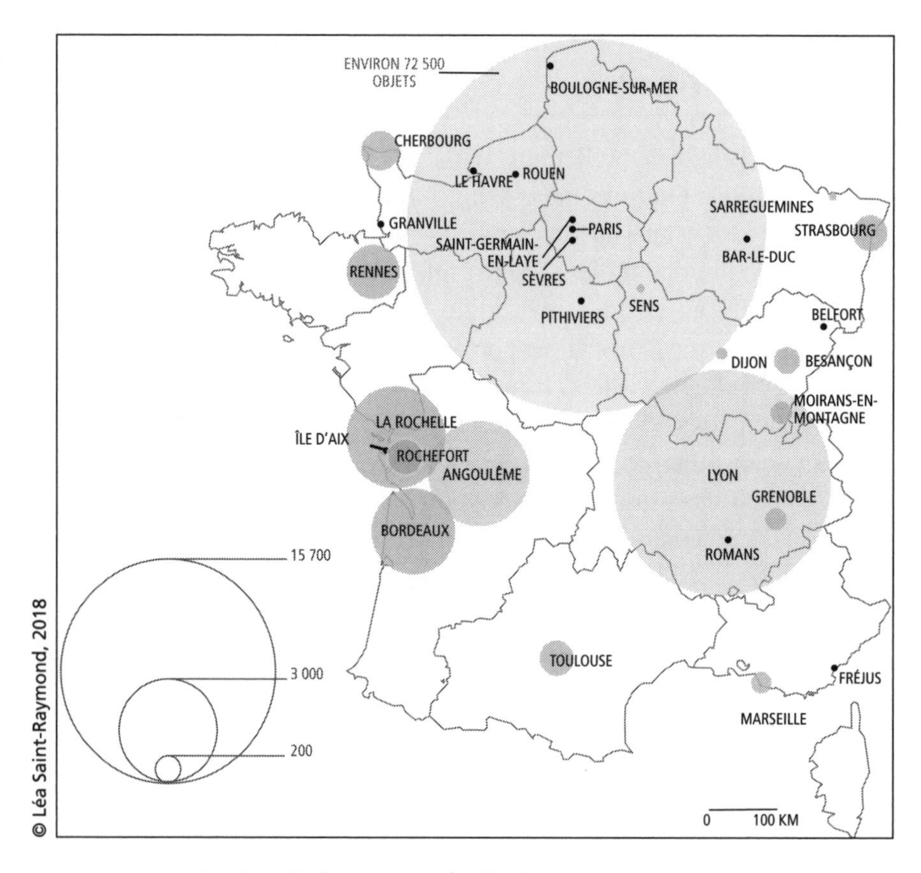

Carte 2. Nombre d'objets provenant d'Afrique au sud du Sahara conservés dans des institutions muséales et universitaires françaises, d'après les inventaires disponibles en octobre 2018

Les sites marqués par un point conservent également des collections africaines parfois significatives, mais dont les inventaires sont indisponibles à ce jour.

Source : Direction générale des patrimoines-Service des musées de France, ministère de la Culture et de la Communication.

Trois dynamiques expliquent en France cette répartition inégale du patrimoine africain. Dynamique d'État qui, depuis la Révolution française et dans une double logique d'affirmation nationale et de concurrence internationale, pousse la France à « hypercentraliser » à Paris les collections patrimoniales jugées les plus importantes. Dynamique de flux, ensuite, qui explique la présence de nombreux objets africains dans les villes côtières impliquées dans le commerce avec l'Afrique, point d'arrivée des navires marchands ou militaires. Dynamique de legs, dons, dations ou donations, enfin, à l'origine par exemple de l'importante collection africaine du musée des Confluences à Lyon ou des ensembles africains à Besançon, Toulouse ou Grenoble. À cette géographie des musées d'État ou de collectivités territoriales s'ajoute celle des musées missionnaires, qui, tel le musée africain de Lyon (fermé au public depuis 2017), abritent parfois plusieurs milliers d'objets collectés en Afrique par des congrégations religieuses ; ainsi que des collections universitaires parfois importantes, celle de l'université de Strasbourg par exemple.

À l'exception de celles du musée du quai Branly et de quelques musées régionaux (Angoulême, Lyon), les collections africaines sont assez mal connues en France, toutes ne sont pas accessibles au public, les politiques de mise en valeur n'ont pas été partout menées avec le même élan, et des inventaires ne sont pas toujours disponibles. À défaut de catalogue collectif des collections africaines en France, la réflexion sur les critères de restituabilité s'appuie ici plus particulièrement sur les données relatives aux soixante-dix mille objets de l'unité patrimoniale « Afrique » conservés au musée du quai Branly[2]. À ces objets s'ajoutent au

2. Elles sont consultables sur place par le biais du logiciel de gestion des collections TMS.

seul musée du quai Branly environ quatre-vingt-dix mille documents compris dans l'iconothèque (photographies, arts graphiques, dessins, cartes postales, affiches, estampes...) concernant la quasi-totalité des pays d'Afrique et présents matériellement dans les archives (plaques de verre, négatifs, tirages papier, pellicules...).

Quelle Afrique pour quelles restitutions ?

Tous les pays d'Afrique situés au sud du Sahara, dans leurs frontières actuelles, sont représentés dans les collections du musée du quai Branly *(voir carte 3, p. 79)*[3]. Avec près de dix mille pièces inventoriées, le Tchad, qui fait géographiquement et culturellement transition entre l'Afrique du Nord et la partie subsaharienne de l'Afrique, arrive en tête (9 296 objets). Il est suivi du Cameroun (7 838), de l'île de Madagascar (7 590), du Mali (6 910), de la Côte d'Ivoire (3 951), du Bénin (3 157), de la république du Congo (2 593), du Gabon (2 448), du Sénégal (2 281) et de la Guinée (1 997). Ce groupe de tête, constitué exclusivement d'anciennes colonies françaises, comprend aussi l'Éthiopie (3 081 pièces), demeurée souveraine avant et après son occupation par l'Italie, entre 1936 et 1941. Parmi les anciennes colonies britanniques, seuls le Ghana (1 656) et le Nigeria (1 148) sont largement représentés, de même

3. Les chiffres indiqués ici prennent en compte les objets (hors iconothèque) conservés au sein de l'unité patrimoniale « Afrique » du musée du quai Branly-Jacques Chirac ; mais aussi, pour une faible proportion d'entre eux, de l'unité patrimoniale « Mondialisation historique et contemporaine ». Ces chiffres peuvent faire l'objet de légères variations en fonction de l'outil utilisé pour les générer, base TMS ou site internet des collections du musée.

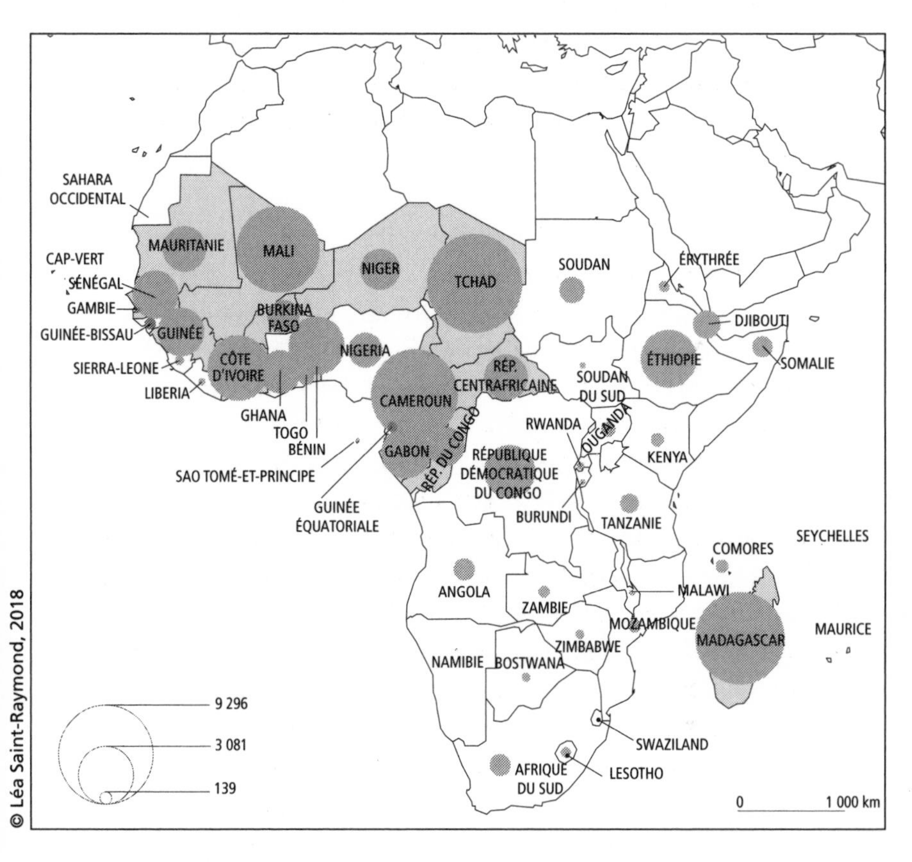

Carte 3. Nombre d'objets de l'unité patrimoniale « Afrique » du musée du quai Branly-Jacques Chirac (Paris) enregistrés à l'inventaire des collections nationales entre 1878 et 2018, par provenance géographique, d'après les frontières actuelles (octobre 2018)

Les anciennes colonies françaises – Afrique Occidentale française (AOF), Afrique Équatoriale française (AEF), Madagascar – sont marquées en gris.

SOURCE : base de données des collections du musée du quai Branly-Jacques Chirac.

que l'actuelle République démocratique du Congo (1 428), anciennement belge. Les objets en provenance d'Afrique australe (1 692, sans Madagascar) et de l'Afrique de l'Est (2 262) sont proportionnellement peu présents dans les collections parisiennes, et plus généralement en France.

Que nous dit cet aperçu ? Que la géographie des colonies françaises en Afrique et celle des collections africaines du musée du quai Branly sont strictement convergentes. Que le projet de restitution, par conséquent, doit poser la question du rapport entre loi coloniale et extractions patrimoniales, et avec elle celle du *consentement* (ou non) des pays d'origine lors du prélèvement des objets et de leur envoi en métropole.

Ces chiffres indiquent également que, parmi les objets venant de pays non colonisés par la France, ceux issus de l'Éthiopie, de la République démocratique du Congo, du Nigeria et du Ghana forment le groupe le plus important – des États qui se sont fortement engagés, depuis les années 1960, dans la revendication de leurs patrimoines déplacés (surtout au Royaume-Uni). Qu'il faut par conséquent leur apporter dans le processus de restitution une attention semblable à celle qui sera consacrée aux objets provenant des anciennes colonies françaises.

Ces chiffres manifestent enfin que, si l'on veut comprendre au mieux les mécanismes qui ont conduit la France à posséder aujourd'hui tant d'objets issus de ses anciennes colonies africaines, il faut, au-delà de l'approche simplement géographique, dresser une chronologie des acquisitions, pour voir notamment s'il existe un *avant* et un *après* de la colonisation en matière d'accroissement des collections. Cela revient à s'interroger sur la légitimité des acquisitions à chacune des époques – jusqu'à une période récente.

Sur quelle histoire veut-on revenir ?

L'histoire de l'intégration par la France du patrimoine africain à ses collections nationales est une histoire longue, dont les origines sont antérieures à la période coloniale et qui s'est prolongée après les indépendances. Trois grands moments se succèdent : le premier précède la conférence de Berlin, qui fixe les règles du partage de l'Afrique entre les puissances européennes (1884-1885). Le deuxième couvre la période coloniale jusqu'aux indépendances (1960). Le troisième est celui qui, de 1960 à nos jours, continue d'alimenter les collections françaises.

Appliquée aux collections actuellement conservées au musée du quai Branly, cette tripartition fait apparaître ceci : moins d'un millier d'objets des collections africaines inventoriées ont été intégrés avant 1885 *(voir carte 4a, p. 83)*. Pour la période 1885-1960, les effectifs augmentent de manière spectaculaire pour passer à plus de quarante-cinq mille pièces, un chiffre qui représente près de 66 % de l'ensemble des collections de l'unité patrimoniale « Afrique » du musée, également répartis entre la phase de conquête coloniale (jusqu'à 1914) et celle de colonisation installée (jusqu'à 1960) *(voir carte 4b, p. 84)*. Cette augmentation significative s'explique notamment par le développement des missions ethnographiques à la fin des années 1920 : lors de la seule décennie 1928-1938, plus de vingt mille objets font ainsi leur entrée à l'inventaire. Après 1960, les collections continuent de s'enrichir de près de vingt mille objets, jusqu'à atteindre environ soixante-dix mille pièces aujourd'hui, mais l'origine géographique de ces objets, les modes et les lieux d'acquisition changent, les anciennes colonies françaises n'étant plus aussi directement mises à contribution qu'auparavant *(voir carte 4c, p. 85)*[4].

L'exemple du Cameroun est exemplaire de ce phénomène : jusqu'en 1884, seules trois pièces originaires de cette région sont répertoriées dans l'inventaire du musée du quai Branly. Entre 1885 et 1960, on compte 6 968 arrivées supplémentaires, contre seulement 713 depuis 1960. À l'inverse, les pièces originaires du Ghana ou du Nigeria, ex-colonies britanniques, voient leur nombre augmenter *après* l'accession de ces pays à l'indépendance, l'institution parisienne s'engageant alors dans une politique systématique de diversification de ses collections : 41 objets nigérians sont répertoriés dans les inventaires du musée avant 1885, et l'on compte seulement 254 nouvelles entrées entre 1885 et 1960, contre 840 acquisitions après 1960. Même évolution pour l'actuel Ghana : cinq avant 1885, 376 entre 1885 et 1960, 1258 depuis cette date.

4. Ces statistiques ont été élaborées d'après la base de données des collections du musée du quai Branly-Jacques Chirac, consultée via le logiciel de gestion des collections TMS. Chaque numéro d'objet des collections du musée est constitué d'un premier nombre se rapportant à son institution d'origine. Le nombre « 71 » se rapporte ainsi aux anciennes collections du musée de l'Homme (auparavant musée d'ethnographie du Trocadéro) ; le nombre « 73 », aux collections africaines du musée national des arts d'Afrique et d'Océanie ; le nombre « 70 », aux acquisitions du musée du quai Branly-Jacques Chirac depuis sa constitution. Ce chiffre est suivi de l'année du classement de l'objet à l'inventaire des collections nationales. Si cette date ne coïncide pas toujours avec le moment précis de l'arrivée de l'objet, elle en donne un indice fiable. Sont également à prendre en compte les objets collectés au cours du XXe siècle et physiquement présents dans les réserves, mais dont l'entrée à l'inventaire s'est faite à l'occasion de campagnes de récolement plus tardives.

Nombre d'objets de l'unité patrimoniale « Afrique » du musée du quai Branly-Jacques Chirac (Paris) enregistrés à l'inventaire des collections nationales, par provenance géographique, d'après les frontières actuelles

Les anciennes colonies françaises – Afrique occidentale française (AOF), Afrique équatoriale française (AEF), Madagascar – sont marquées en gris.

SOURCE : base de données des collections du musée du quai Branly-Jacques Chirac.

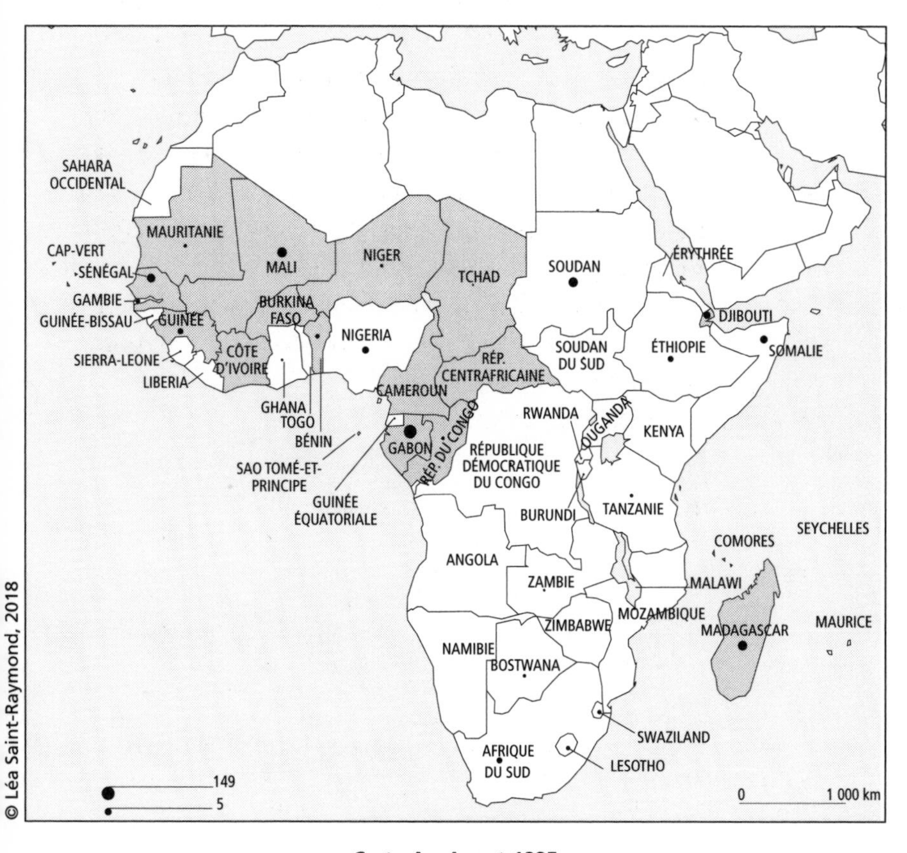

© Léa Saint-Raymond, 2018

Carte 4a. Avant 1885.

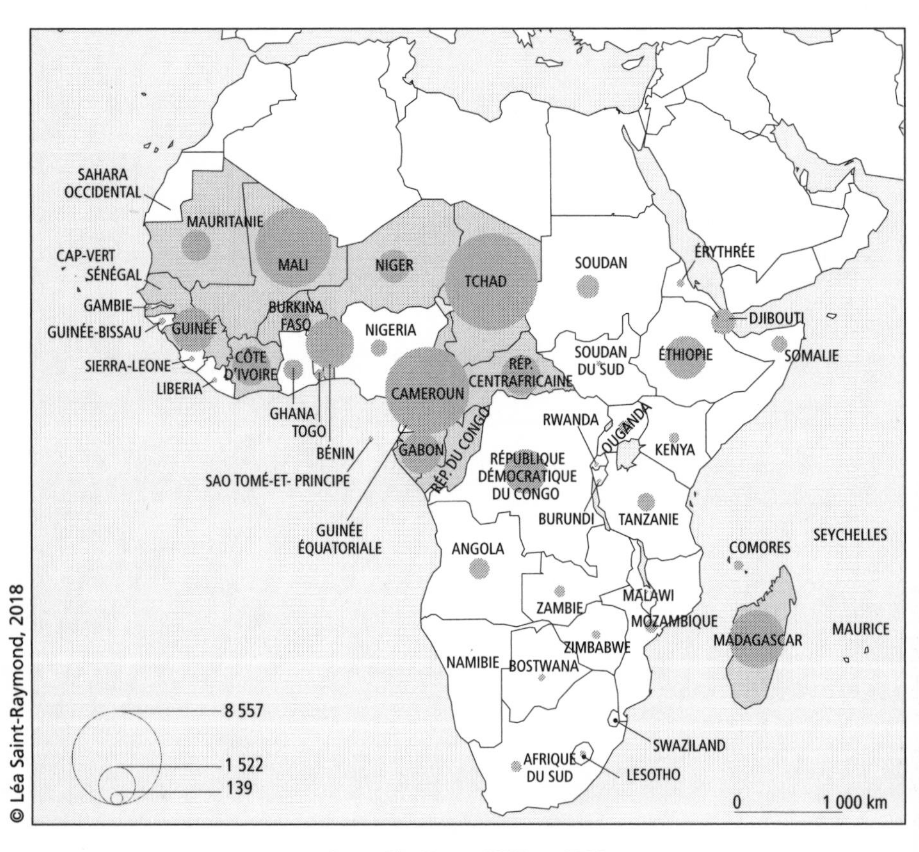

Carte 4b. Entre 1885 et 1960.

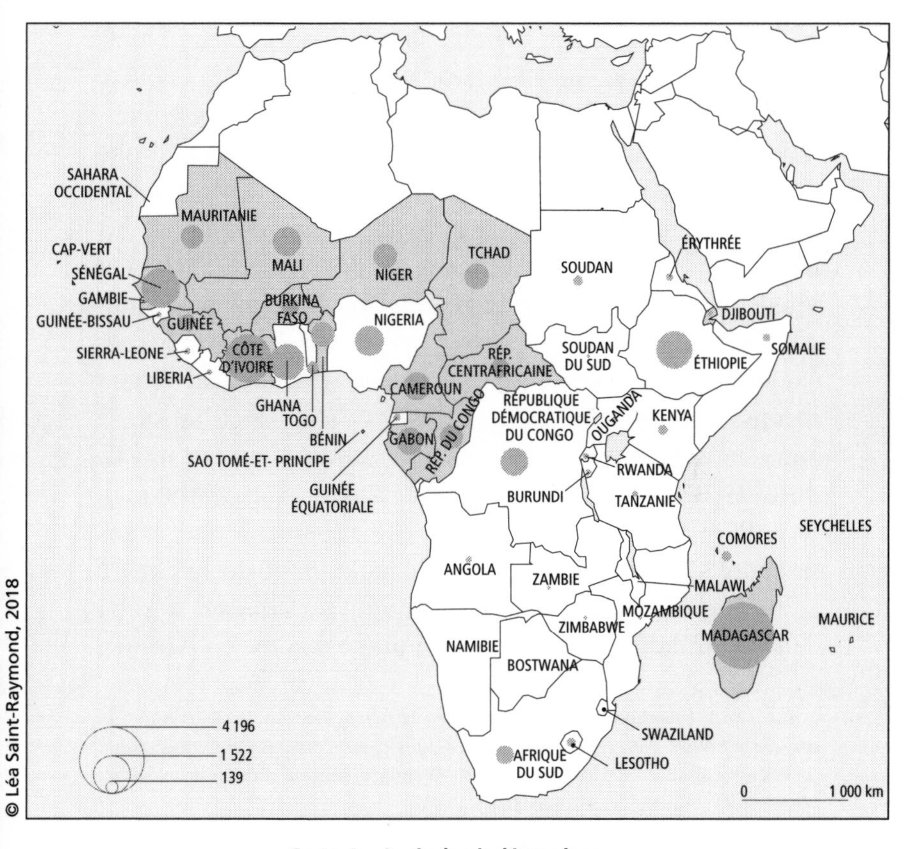

Carte 4c. Après les indépendances.

De toute évidence, la période coloniale a donc correspondu pour la France à un moment d'extrême désinhibition en matière d'« approvisionnement » patrimonial dans ses propres colonies, de boulimie d'objets. C'est donc naturellement aux translocations patrimoniales intervenues dans cette période qu'il faut songer en premier lieu dans le processus de restitution. La période qui suit, toutefois, exige une attention tout aussi soutenue, à plusieurs titres.

Après 1960 d'abord, l'entrée dans les collections d'objets pris sur le territoire africain pendant les guerres de conquête coloniales ou la période de domination coloniale n'est pas rare, soit que ces objets aient été gardés le temps d'une ou deux générations dans les familles d'anciens officiers ou administrateurs coloniaux avant d'être donnés à des institutions publiques ; soit parce qu'ils ont circulé pendant plusieurs décennies sur le marché de l'art avant d'intégrer les collections françaises – au musée de l'Armée, par exemple, l'entrée des dernières pièces africaines provenant de missions coloniales remonte à 1994, soit près d'un siècle après le moment de leur collecte[5] ; aujourd'hui, au musée du quai Branly, plusieurs objets issus du sac d'Abomey, en 1892, sont entrés au sein des collections nationales dans le cadre de dons ou dations s'échelonnant de la fin du XIXe siècle à l'année 2003[6]. Après 1960, par ailleurs, le trafic de l'art africain se développe en Europe comme en Afrique,

5. Cf. Olivier Kodjalbaye Banguiam, *Les Officiers français : constitution et devenir de leurs collections africaines issues de la conquête coloniale*, thèse de doctorat réalisée à l'université Paris-Nanterre sous la direction de Didier Musiedlak, soutenue le 19 mai 2016.
6. Sur le « Trésor de Béhanzin », cf. Gaëlle Beaujean-Baltzer, *L'Art de cour d'Abomey : le sens des objets*, thèse de doctorat réalisée à l'École des hautes études en sciences sociales sous la direction de Jean-Paul Colleyn et Henry John Drewal, soutenue le 25 novembre 2015.

porté par des acteurs professionnels des deux continents qui, prenant appui sur des relais locaux formels et informels, contribuent à « l'injection dans un flux commercial licite d'objets d'origine illicite[7] ». Il n'est pas rare que, par le biais de dons, de legs ou d'achats, ces objets aient fini leur trajectoire internationale dans les musées publics français *(voir « Après les indépendances », p. 102).*

Les formes historiques des spoliations

Il a été question dans l'introduction de la prise généralisée de butins de guerre pendant les conflits coloniaux, et de l'appui militaire et administratif systématique dont ont bénéficié les missions ethnologiques chargées officiellement de « collectes » dans les régions colonisées. Les conditions – d'échange, d'achat, de don, de violence symbolique ou physique – dans lesquelles se sont effectués les prélèvements ont sur les mémoires collectives une incidence au moins aussi forte que la nature des objets déplacés. La réflexion sur les critères de restituabilité doit impérativement s'appuyer sur une connaissance précise des gestes de l'appropriation.

D'une manière générale, et jusqu'aux indépendances, l'État français encourage les prélèvements d'objets *in situ*. Tradition militaire, curiosité esthétique et scientifique, conscience aiguë de la valeur économique des objets rapportés sur le marché européen, besoin non moins aigu d'entretenir à Paris des musées capables de rivaliser avec

7. Bernard Darties, cité par le rapport d'information n° 361 (2002-2003) de M. Jacques Legendre, fait au nom de la délégation française à l'Assemblée parlementaire du Conseil de l'Europe, déposé le 24 juin 2003, sur la protection des biens culturels africains.

ceux de Londres ou de Berlin : tous ces éléments entrent en jeu dans la mise en place du système français d'extraction culturelle en Afrique (et dans le reste du monde). Dès les années 1880, militaires et civils, administrateurs coloniaux et savants sont invités à recueillir des échantillons matériels des cultures africaines soumises ou à soumettre, et d'en assurer le transfert en métropole. La prise de biens culturels assure une forme d'emprise que la seule observation intellectuelle ne garantit manifestement pas. Des instructions circulent sur la nature des pièces à choisir et sur la manière de les conditionner. De retour d'Afrique, en permission, pendant leurs vacances en France, les acteurs impliqués dans le processus colonial prennent l'habitude de déposer leurs meilleures trouvailles dans les musées, parisiens ou non. « Vous m'avez demandé des crânes de la vallée du Niger, j'en ai ramassé deux provenant de guerriers de Samory tués à Bamako », écrit un officier français au directeur du musée d'ethnographie du Trocadéro en 1883[8]. Les tributs militaires côtoient des groupes d'objets rassemblés de manière fortuite, en fonction souvent des intérêts particuliers de tel ou tel agent. Au fil des décennies toutefois, et notamment dans les années 1930, l'organisation de missions spécifiquement dédiées au prélèvement de biens culturels se généralise.

Butins

Dans les mémoires collectives – en Afrique comme ailleurs –, les violences de guerre, qui plus est lorsqu'elles ont mis fin à des dynasties centenaires, occupent une place

8. Cité par Olivier Kodjalbaye Banguiam, *Les Officiers français*, thèse citée, p. 264.

particulière et les objets d'art, manuscrits, bijoux, emblèmes dynastiques, ornements architecturaux, armes et armures spoliés à ces occasions cristallisent des émotions spécifiques. La réflexion engagée en France sur les restitutions doit tenir compte de cette évidence : parmi les objets esthétisés lors de leur arrivée en France, muséalisés et intégrés dans des séries chronologiques, stylistiques, typologiques (y compris des séries de manuscrits), nombreux sont ceux qui ont gardé dans leurs contextes d'origine – en dépit, ou justement à cause de leur absence, en dépit, ou justement à cause de la destruction des royaumes auxquels ils ont été enlevés – un statut de relique ou de *regalia*, certains étant devenus au fil des décennies des symboles de la résistance locale face à l'agresseur colonial. Même dans les contextes où la mémoire de ces objets est perdue, celle des événements qui ont conduit à leur perte est généralement vive et la connexion vite établie (y compris à des fins d'instrumentalisation politique). Dans ces cas particuliers, la surdité des institutions françaises détenant aujourd'hui les pièces réclamées par les anciens vaincus excite particulièrement les esprits.

Plusieurs butins de guerre formés à l'époque coloniale sont conservés dans les collections françaises. Ils sont difficiles à identifier comme tels pour trois raisons au moins : d'abord, les ensembles cohérents qu'ils formaient lors de leur capture (« trésors ») ont été démembrés en France et répartis entre différentes institutions ; ensuite, dans les inventaires de ces institutions, les objets sont le plus souvent répertoriés – lorsque la rubrique est renseignée – comme des « dons » de particuliers ; enfin, les militaires responsables de ces « dons » ne se sont pas limités à la prise des « trésors » de l'ennemi : certains ont, avec leurs troupes, pratiqué des collectes d'envergure y compris hors des champs de bataille, ce qui complique l'identification des butins *stricto sensu*. En fait, il faut inverser la perspective pour repérer ces butins dans les collections françaises : ne pas en chercher la trace à partir des informations parcimonieuses fournies par les institutions elles-mêmes, mais à partir de l'historiographie militaire coloniale, d'une part, et du souvenir laissé par ces pillages dans les régions qu'ils ont concernées, d'autre part.

Ségou, 1890

Les prises du colonel Louis Archinard comptent parmi les plus significatives et les moins bien étudiées. Au total, on compte dans les collections publiques françaises sans doute plus d'un millier d'objets répertoriés comme « dons » successifs de ce général français originaire du Havre. Parmi eux, un important groupe d'objets précieux, de bijoux, d'armes et de manuscrits vient du sac du palais royal de Ségou, capitale de l'Empire toucouleur dans l'actuel Mali, et de la prise sanglante d'Ouossébougou en avril 1890, qui marquent la fin de l'Empire toucouleur et la prise de contrôle de la région par la France, qui y crée le Soudan français. Les objets précieux et les manuscrits saisis à Ségou y avaient été rassemblés par le chef spirituel El Hadj Omar, et par son fils Ahmadou. À son arrivée en France, le « trésor de Ségou » est partiellement vendu aux enchères au profit de la nation mais Archinard fait don des pièces jugées les plus importantes à différentes institutions. On le trouve aujourd'hui réparti entre le musée de l'Armée, le musée du quai Branly (129 pièces), la Bibliothèque nationale de France (518 volumes[9]) et le Muséum d'histoire naturelle

9. Cf. Louis Brenner, Noureddine Ghali et Sidi Mohamed Mahibou, *Inventaire de la bibliothèque 'umarienne de Ségou*, Paris, CNRS Éditions, 1985.

du Havre. Depuis 1994, les descendants d'El Hadj Omar revendiquent le retour de ces objets[10].

Abomey, 1892

Les prises de guerre du colonel Alfred Dodds forment un ensemble mieux connu au sein des collections françaises. Elles concernent la ville royale d'Abomey, dans l'actuel Bénin, vidée de ses richesses et de ses emblèmes dynastiques après une série de sanglants combats le 17 novembre 1892. La chute d'Abomey et l'humiliante capture du roi Béhanzin, puis sa déportation hors d'Afrique, ont marqué la fin d'un royaume multiséculaire, dont les territoires sont alors intégrés à la colonie française du Dahomey. Entre 1893 et 1895, plusieurs officiers français, dont Alfred Dodds, donnent au musée d'ethnographie du Trocadéro une partie du butin de guerre saisi au Dahomey, vingt-sept objets exactement. D'autres pièces, « données » par d'autres officiers ou leurs familles, sont aujourd'hui conservées dans les musées de Périgueux et de Lyon[11]. Les objets provenant du pillage d'Abomey sont réclamés depuis plusieurs années par la république du Bénin *(voir ill. 1 à 3)*.

Campagne de représailles contre Samory Touré, 1898

Samory Touré fait dans l'historiographie postcoloniale figure de héros de la résistance africaine à l'expansion coloniale. Alpha Blondy lui a consacré une chanson (« Bory

10. Sur l'histoire de ces pièces, leur inventaire, ainsi que sur le vol d'une quarantaine de colliers et bracelets en novembre 1937 (alors qu'ils étaient présentés au musée de la France d'outre-mer), cf., aux archives du musée du quai Branly-Jacques Chirac, les cotes D004164/46980.
11. Cf. Gaëlle Beaujean-Baltzer, *L'Art de cour d'Abomey*, thèse citée.

Samory », 1984). Fondateur de l'Empire wassoulou, il a résisté pendant deux décennies à la pénétration française en Afrique de l'Ouest, sur un territoire actuellement situé entre la Guinée et la Côte d'Ivoire. À l'automne 1898, Samory Touré fait l'objet d'une campagne de représailles menée par le général français Henri Gouraud. Il est arrêté et déporté au Gabon, où il meurt deux ans plus tard. Le « trésor de Samory », saisi lors de sa reddition, est évalué à 200 000 ou 300 000 francs de l'époque et remplit douze caisses. Dans ses mémoires, le général Gouraud note : « Avec le trésor partent les souvenirs de Samory destinés d'une part au musée de l'Armée, la selle, le sabre, le bonnet de guerre de l'*almamy*, un de ses fusils [...], des dialas, les colliers de Saranké Mory et d'Ahmadou Touré, des bagues bizarres, un porte-allumettes et surtout le boubou de guerre de Saranké Mory, riche pièce. D'autre part, nous envoyons au général de Trentinian la hache de guerre, le chasse-mouches formé d'une queue d'éléphant engainée d'argent et le sabre que m'avait remis Sarankégny Mory au moment de sa reddition[12]. » Ces pièces sont aujourd'hui conservées pour partie au musée de l'Armée[13]. Elles ont fait l'objet d'une « visite » de reconnaissance du marabout Cheikh Ousmane Badji à la fin des années 1960.

À ces prises de guerre « françaises » bien identifiées s'ajoutent :

12. *Au Soudan. Souvenir d'un Africain*, Paris, Tisné, 1939, chap. « Le trésor ». Cf. Julie d'Andurain, « Le général Gouraud, parcours d'un colonial (1867-1946) », *Outre-mers*, n° 370-371, 2011, p. 21-30.

13. Chasse-mouches de Samory, numéro d'inventaire 04739 ; bonnet de guerre de Samory, n° 2292 ; hache de Samory, n° 8870 ; tunique de guerre de son fils, n° 2300.

– Les objets issus de butins formés par des armées étrangères (notamment britannique) dans des circonstances sanglantes qui ont laissé de profondes traces dans la mémoire collective des pays concernés (sac de Benin City en 1897, par exemple). Ces objets ont parfois circulé pendant plusieurs décennies sur le marché de l'art avant d'être acquis par les musées français.

– Les centaines d'objets africains (d'usage militaire ou non) donnés aux institutions françaises par des officiers ou des médecins militaires impliqués dans diverses opérations de reconnaissance, de conquête ou de maintien de l'ordre. Même si tous ces objets n'ont pas été recueillis dans le vif des combats, le contexte militaire des prises et l'autorité qu'a pu conférer aux futurs donateurs le pouvoir des armes invitent à postuler l'absence de consentement des populations locales lors de l'extraction des objets – à moins que des preuves positives de ce consentement n'existent (on en trouve par exemple dans les dossiers concernant les dons de l'officier Pierre Savorgnan de Brazza aux musées français, soit environ deux cent cinquante pièces au seul musée du quai Branly).

Nous préconisons d'accueillir favorablement les demandes de restitution concernant les objets saisis dans les contextes militaires décrits ci-dessus, en dépit du statut juridique particulier des trophées militaires avant l'adoption en 1899 de la première convention de La Haye codifiant le droit de la guerre.

Missions d'« exploration » et « raids » scientifiques

Pendant toute la période coloniale, les musées français bénéficient de l'apport successif de missions d'exploration coloniale (jusqu'au début du XXe siècle) et de missions scientifiques dans la partie subsaharienne de l'Afrique (à partir de 1925 environ).

Dans les années 1890, sous l'égide d'organismes publics ou privés comme la Société de géographie de Paris ou le Comité de l'Afrique française, plusieurs missions d'exploration se succèdent sur le continent qui visent à consolider les zones d'influence françaises face à la Grande-Bretagne et à l'Allemagne. Confiées pour certaines à de jeunes scientifiques, ces missions hybrides, à la fois politiques et commerciales, sont l'occasion de collectes patrimoniales parfois spectaculaires. En témoigne celle que le Comité de l'Afrique française confie en 1891 à l'agronome Jean Dybowski, chargé de retrouver la trace d'une mission semblable à la sienne, engagée un an plus tôt mais portée disparue. Sa « petite troupe, lit-on dans un compte rendu, se compose de quarante-quatre Sénégalais [entendre : tirailleurs] et de quarante-huit porteurs[14] ». À Bangui (capitale de l'actuelle République centrafricaine), le naturaliste indique : « J'ai pu expédier vingt-neuf caisses de collections en Europe. Je désire qu'elles soient conservées au Muséum jusqu'à mon retour ; j'en ferai alors une exposition générale et elles pourront ensuite être réparties entre divers musées[15]. » L'exposition a bien lieu en 1893. Au total,

14. *Bulletin du Comité de l'Afrique française*, avril 1892, p. 3.
15. *Id.*

on évalue à sept mille le nombre d'échantillons d'histoire naturelle (mammifères tués et oiseaux notamment), ainsi que d'armes, de parures, de textiles et autres objets systématiquement collectés par Dybowski dans le territoire de l'actuelle République centrafricaine et répartis dans les musées français. Lors de l'exposition de 1893 au Muséum d'histoire naturelle, la stratégique vitrine numéro un présente des « vêtements et objets trouvés sur [des] hommes tués dans la nuit du 22 au 23 novembre 1891, […] ainsi que trois de leurs crânes[16] ». Le seul musée du quai Branly conserve aujourd'hui plus de six cents pièces (armes, bijoux, instruments de musique, amulettes) expédiées d'Afrique par ses soins.

Une génération plus tard, l'extraction patrimoniale se professionnalise. Alors que l'administration coloniale quadrille désormais les régions soumises, que l'exploration des territoires a cédé le pas à leur exploitation et qu'en France l'ethnologie s'impose comme une discipline scientifique à part entière, des missions exclusivement dédiées au prélèvement d'objets et d'informations ethnographiques se mettent en place. Créé en 1925 et financé par le ministère des Colonies, l'Institut d'ethnologie de l'université de Paris joue alors un rôle central. Entre 1926 et 1940, il parraine une centaine de missions ethnographiques, dont une trentaine en Afrique. Certaines s'apparentent à de véritables « raids » scientifiques (selon l'expression d'Éric Jolly), alliant technologies nouvelles (cinématographie, photographie, reconnaissance aérienne), performance scientifique et traversée aventureuse. Leur principal initiateur et directeur d'expédition est

16. Albin Arnera, « Science et colonisation : la mission Dybowski (1891-1892) », *Outre-mers*, n° 336-337, 2002, p. 328.

l'ethnologue Marcel Griaule. Dans ces années, « l'objectif des ethnographes est de tout voir, tout saisir et éventuellement tout emporter selon un protocole complexe, y compris les objets, les croyances et les faits les plus secrets, tapis derrière les murs des maisons ou le silence des informateurs »[17].

Des centaines de fiches signalétiques accompagnent désormais les objets transférés en France. Griaule conçoit son travail sur un triple modèle militaire, judiciaire et médical. Une campagne de fouilles menée lors de la mission Sahara-Cameroun en 1936-1937 est comparée à « une série de coups de sonde dans le terrain et dans les hommes vivants, une auscultation » ; les objets pris aux Africains sont des « pièces à conviction », dont la « réunion forme des archives plus révélatrices et plus sûres que les archives écrites ». « Le Noir » est un « auxiliaire » qu'il « suffira de faire parler », ce qui « n'est pas des plus commodes [...] mais on y arrive »[18]. Dans *L'Afrique fantôme* (1934) et dans sa correspondance, Michel Leiris décrit et dénonce la logique de soupçon, d'intimidation et d'effraction à l'œuvre dans les prises d'objets lors de la célèbre mission Dakar-Djibouti (1931-1933), dont il assure le secrétariat et qui enrichit considérablement les musées français. Parce qu'elle opère à la fois dans des territoires sous autorité française et dans l'empire alors indépendant d'Éthiopie, et parce qu'elle est extrêmement bien documentée, cette mission permet de mesurer combien l'encadrement colonial favorise et facilite l'exportation massive de biens culturels, qui se heurte en

17. Éric Jolly, « Marcel Griaule, ethnologue : La Construction d'une discipline (1925-1956) », *Journal des africanistes*, vol. 71, n° 1, 2001, p. 168. Cf. la préface de Jean Jamin *in* Michel Leiris, *Miroir de l'Afrique*, *op. cit.*
18. Marcel Griaule, cité par Éric Jolly, « Marcel Griaule, ethnologue... », art. cité, p. 163 et 168.

Illustration 1

Illustration 2

Illustration 3

Illustration 4

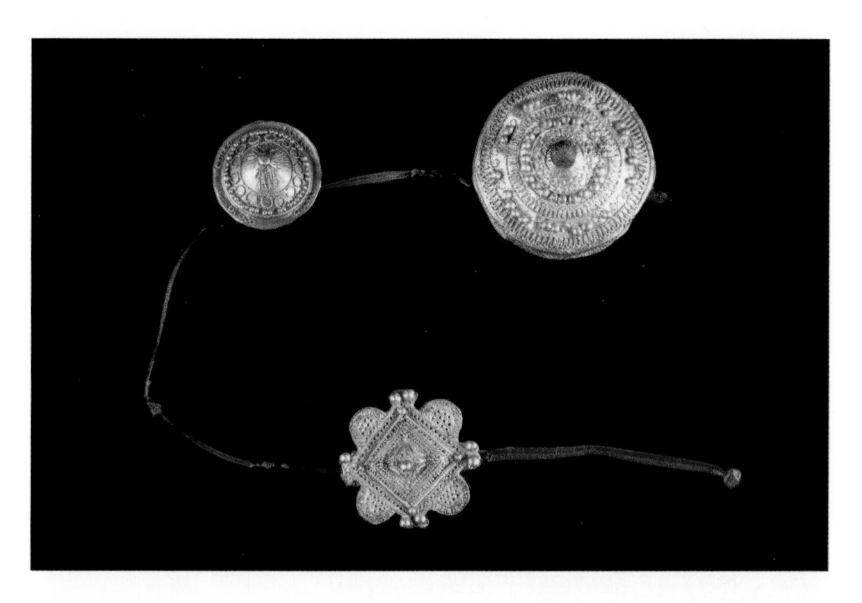

Illustration 5

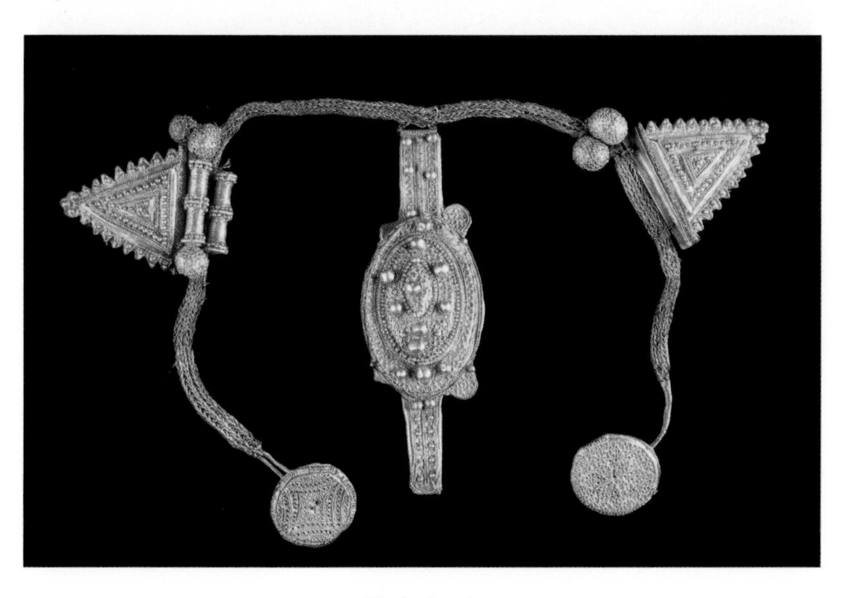

Illustration 6

Illustration 7

Illustration 8

Illustration 9

Illustration 10

Illustration 11

Illustration 12

Illustration 13

revanche à des résistances multiples hors des colonies. En Éthiopie, trois ans avant son annexion par l'Italie fasciste, la mission française cherche et trouve l'appui du consul italien (fasciste) de Gondar, Raffaele Di Lauro, qui l'autorise à camper pendant plusieurs mois dans la concession du consulat. Les prises d'objets (parmi lesquels soixante mètres carrés de peintures murales démarouflées morceaux après morceau d'une église de cette ville) suscitent des résistances nombreuses et bien documentées. Par crainte des autorités éthiopiennes, certaines pièces sont soigneusement dissimulées avant d'être exfiltrées vers l'Érythrée (alors colonie italienne), l'une d'elles, un autel portatif en bois, est même brûlée avant le passage en douane[19].

Lors des missions ethnographiques des années 1930, certes, l'immense majorité des objets est achetée et les sommes versées sont souvent connues[20]. Pour un masque zoomorphe de la région de Ségou aujourd'hui présenté dans les salles d'expositions du musée du quai Branly (71.1931.74.1048.1), la mission Dakar-Djibouti dépense 7 francs, soit l'équivalent d'une douzaine d'œufs à cette époque – alors que des travaux récents montrent qu'en cette même année 1931 le prix moyen d'adjudication, en France, pour des masques africains, est de 200 francs par pièce[21]. Lors du passage en vente de la collection de Paul

19. Cf. Claire Bosc-Tiessé, avec Anaïs Wion, *Peintures sacrées d'Éthiopie. Collection de la mission Dakar-Djibouti*, Saint-Maur-des-Fossés, Sépia, 2005.
20. Cf. notamment le deuxième carnet d'inventaire des objets de Dakar-Djibouti (fonds Dakar-Djibouti, FDD_A_d_2), cité par Éric Jolly, « Marcel Griaule, ethnologue… », art. cité, p. 172.
21. Merci à Léa Saint-Raymond et Élodie Vaudry de nous avoir fourni ces précieuses informations et celles qui suivent, tirées de l'importante base de données qu'elles ont constituée sur le prix des objets non européens sur le marché de l'art à Paris. Cf. Léa Saint-Raymond, *Le Pari des enchères : le lancement*

Éluard et André Breton à l'hôtel Drouot au mois de juillet 1931, le plus haut prix d'adjudication pour un masque africain est de 1 150 francs[22]. Toujours la même année, le prix record obtenu à Drouot pour un masque africain s'établit à 2 300 francs[23].

De l'aveu même des acteurs impliqués sur le terrain, les transactions s'apparentent en réalité à « des méthodes d'achat forcé, pour ne pas dire de réquisition » (Michel Leiris[24]) ; voire à « une sorte de perquisition menée par une troupe d'Européens qui, crayon et mètre en main, fouillaient partout » (Éric Lutten[25]). Difficile dans ces conditions d'interpréter le versement d'argent lors des « missions scientifiques » comme le signe d'un consentement des populations visées. D'autres formes d'acquisition, le troc ou les dons, s'inscrivent dans la même logique d'urgence et de contrainte plus ou moins explicite. En contexte colonial, l'autorité des Blancs, ainsi que la pression de l'impôt et la menace (souvent fictive) de représailles, « incite ou oblige » les personnes concernées « à accepter les offres d'achat des ethnographes »[26].

---

de nouveaux marchés artistiques à Paris entre les années 1830 et 1939, thèse réalisée à l'université Paris-Nanterre sous la direction de Ségolène Le Men, soutenue le 26 octobre 2018.

22. Vente Drouot des 2 et 3 juillet 1931, n° 16, « Masque. Fétiche M'Gallé. Figure humaine stylisée dont la coiffure en forme de croissant est surmontée d'une rangée de spirales doubles. Bois recouvert de cuivre. Gabon, région de l'Ogoué, h 53 cm ».

23. Vente Drouot du 7 mai 1931, n° 27, « Masque Dan en bois sculpté patiné noir. Visage de femme aux grands yeux. Côte d'Ivoire, h. 24 cm ».

24. Lettre à sa femme citée en exergue du présent rapport.

25. « Les enfants noirs ont aussi des poupées », *Le Monde colonial illustré*, n° 129, mai 1934, p. 79 ; cité par Éric Jolly, « Les collectes d'objets ethnographiques », NaissanceEthnologie.fr, 2016.

26. *Id.*

Aujourd'hui, le musée du quai Branly conserve plusieurs milliers de pièces africaines issues de ces missions civiles (d'abord hybrides puis plus exclusivement scientifiques)[27]. 640 pièces proviennent de la mission Dybowski en Afrique centrale (1893), 688 de la mission de Robert Du Bourg de Bozas en Afrique orientale et centrale (1901-1902), 493 des missions de Louis Desplagnes dans l'actuel Mali (1903-1904) et au Bénin (1907-1909), 147 de la première mission confiée à Henri Labouret dans l'actuel Burkina Faso (1929), 212 de la première mission d'Émile Georges Waterlot dans l'actuel Mali (1930), 3 600 de la mission Dakar-Djibouti (1931-1933), 395 de la seconde mission d'Henri Labouret au Sénégal et en Guinée (1932), 1 245 de sa troisième mission au Cameroun (1934), 161 de la mission confiée à Denise Paulme et Deborah Lifchitz au Mali (1934), 247 de la mission confiée à Charles Le Cœur au Tchad (1933-1935) ; plus de 350 de la mission Sahara-Soudan (1935), 297 de la seconde mission d'Émile Georges Waterlot au Soudan, en Mauritanie et en Guinée (1936), environ 800 de la mission Sahara-Cameroun (1936-1937), et plus de 500 de la mission Niger-Lac Iro (1938-1939), pour ne citer que les expéditions les plus importantes. Plusieurs centaines de pièces de même provenance sont par ailleurs conservées aujourd'hui dans les musées de plusieurs grandes villes françaises (par exemple à Toulouse, où la collection Labouret joue un rôle important).

Loin d'être une addition fortuite de missions répétées, cette somme révèle l'existence d'un véritable *système*

27. Les chiffres qui suivent peuvent varier sensiblement selon les méthodes de comptage. Ils ont été formulés d'après les bases de données disponibles ou, dans certains cas, d'après les travaux universitaires consacrés à l'une ou l'autre des missions mentionnées.

rationalisé d'exploitation patrimoniale, comparable à certains égards à l'exploitation des richesses naturelles.

> Nous recommandons d'accueillir favorablement les demandes de restitution portant sur des objets collectés en Afrique lors de ce type de « missions scientifiques », à moins que n'existent des témoignages explicites[28] du plein consentement des propriétaires ou gardiens des objets au moment où ils se séparent de tel ou tel d'entre eux.

Dons de particuliers

Les musées français ont traditionnellement compté plus que d'autres, pendant longtemps, sur les dons et les legs de collectionneurs particuliers. Au musée du quai Branly, la rubrique « donateur » recense un grand nombre de noms d'hommes et de femmes parfois assortis, mais ce n'est pas la règle, d'un prénom. Il est quelquefois difficile d'identifier ces donateurs. Ailleurs en France, certains musées publics doivent la quasi-totalité de leurs collections africaines aux dons de particuliers, qui tels le « docteur Lhomme » à Angoulême ou « Marie et Joseph Colomb » à Grenoble ont choisi de céder leurs collections à leur ville d'origine. De temps en temps, les dons interviennent plusieurs années après la mort des collectionneurs et il est souvent difficile de reconstituer les conditions dans lesquelles les pièces

28. Cette recommandation tient compte de l'évolution du débat juridique international sur l'inversion de la charge de la preuve en matière de biens culturels déplacés ou spoliés. Elle élargit au contexte colonial un principe énoncé notamment par la Convention Unidroit de 1995, reprise par la directive européenne 2014/60/UE du 15 mai 2014 (*voir p. 134*).

offertes ont été acquises en Afrique. Parmi ces donateurs, les agents de l'administration coloniale (ou du corps diplomatique dans les pays d'Afrique non colonisés par la France) forment un groupe particulier : selon leurs centres d'intérêt et leurs compétences, ces personnels en poste en Afrique ont pu former des collections très spécifiques (manuscrits anciens, pièces préhistoriques), ou au contraire « touristiques », acquises au hasard des marchés ou commandées auprès d'artistes vivants spécialisés dans la production ou la copie de pièces africaines correspondant au goût des Européens. À l'heure actuelle, le marché de l'art opère une vigoureuse distinction entre ces œuvres créées pour plaire aux Européens, dont la valeur est jugée faible, et les pièces africaines « authentiques », portant des traces d'usage ou d'inscription dans des rites. Les donations dont bénéficient les musées français relèvent des deux catégories : celle de Christian Merlo dans la décennie 1930 par exemple, qui concerne une centaine d'objets de facture majoritairement contemporaine, rassemblés au Dahomey (actuel Bénin), où le donateur fut administrateur ; celle de l'ethnographe François Arthur Florian de Zeltner, nommé « adjoint principal des affaires indigènes dans l'Afrique-Occidentale française » en 1918 (offerte également en 1930), compte 1 213 pièces ethnographiques : textiles, bijoux, récipients et quelques masques de danse originaires principalement de l'actuel Mali, du Burkina Faso et du Niger.

Nous recommandons d'accueillir favorablement les demandes de restitution qui pourraient porter sur des objets donnés aux musées français par des agents de l'administration coloniale ou leurs descendants, à moins que le consentement du vendeur (commande de copies, achat sur des marchés d'artisanat) puisse être attesté. L'effort principal consiste pour cette catégorie d'objets à déterminer qui étaient les donateurs, au-delà de leurs seuls noms et prénoms (quel était leur degré d'implication dans l'appareil colonial ? Étaient-ils des descendants d'agents coloniaux ou de militaires ?).

Après les indépendances

À la suite de l'accession à l'indépendance de dix-sept pays d'Afrique au long de l'année 1960, l'entrée d'objets africains dans les musées français ne cesse pas mais les sources d'approvisionnement changent. Les collectes scientifiques menées directement dans les anciennes colonies françaises, telles qu'elles avaient été pratiquées auparavant, disparaissent ; de nouvelles régions (comme le Nigeria anciennement britannique) font l'objet d'une attention plus systématique ; les achats se multiplient et le marché de l'art international s'affirme comme acteur clé auprès des musées. Les règles de ce marché sont (faiblement) encadrées, à partir de 1970, par la convention de l'Unesco concernant les mesures à prendre pour interdire et empêcher l'importation, l'exportation et le transfert de propriété illicites des biens culturels, tardivement ratifiée par la France en 1997 ; ainsi que par l'adoption progressive en Afrique, État par État, de législations de protection du patrimoine culturel, y compris archéologique.

Ces mesures n'empêchent pas le développement du trafic illicite à l'échelle mondiale. Plusieurs entretiens menés dans le cadre de la mission nous ont permis, documents à l'appui, de comprendre comment depuis de nombreuses années et jusqu'à l'heure actuelle est pour partie organisée l'exportation illicite de biens précieux originaires d'Afrique de l'Ouest, du Mali et du Nigeria notamment. Les législations actuelles, et la déontologie des professionnels de musées fixée par l'ICOM, empêchent les musées de se porter acquéreurs ou de présenter de telles pièces. Leur présence en Europe est souvent entourée d'un grand secret. La nébuleuse liée à ce trafic dépasse le cadre imparti à notre mission, qui concerne les seules collections publiques. Néanmoins, la question des restitutions est indissociable de celle du trafic illicite, qui cause actuellement d'importantes pertes à l'Afrique et qui continuera d'en causer si rien n'est fait.

Au milieu des années 1990, avec l'ouverture annoncée du musée du quai Branly (inauguré le 20 juin 2006), l'État français mène une énergique campagne d'acquisitions, très largement dotée, qui implique à la fois le marché de l'art international, des collectionneurs et des donateurs français parfois proches du pouvoir politique. Entre son annonce et l'ouverture du musée, c'est près d'un millier de pièces qui viennent enrichir l'institution parisienne, parfois à l'occasion d'achats en bloc. Le plus spectaculaire de ces achats est sans conteste celui de la « collection nigériane Barbier-Mueller » : 276 pièces acquises par l'État français pour 48 millions de francs en 1997[29]. Dans la course aux belles pièces, le caractère licite ou illicite des provenances n'est pas primordial. En témoigne l'affaire bien connue des statuettes Nok (Nigeria) actuellement exposées au pavillon des Sessions du musée du Louvre. Achetées en 1998 pour le musée du quai Branly auprès d'un marchand belge, alors que cette catégorie de pièces était interdite d'exportation par la législation nigériane adoptée en 1979 et figurait sur la

29. Archives du musée du quai Branly, D004970/49349.

liste rouge des objets affectés par le trafic illicite identifiés par l'ICOM, ces prestigieuses statuettes ont valu à la France une importante polémique internationale, le *New York Times* déclarant par exemple en novembre 2000 : « Chirac célèbre l'art africain, légal et (peut-être) illégal »[30]. Après quelques atermoiements, la France reconnaissait finalement en 2002 que ces pièces étaient la propriété du Nigeria, qui pour sa part acceptait leur maintien à Paris dans le cadre d'un prêt de vingt-cinq ans renouvelable. À l'époque, l'ICOM déplorait le cynisme des musées, qu'il invitait à adopter « des règles scrupuleuses en matière d'acquisition d'objets ». En 2007, le président du musée décrivait cette acquisition en termes de « prise de risque éthique » : « Nous avons acheté ces statues Nok dans des conditions parfaitement légales au regard de la législation française de l'époque, déclarait Stéphane Martin. Notre prise de risque était éthique mais pas juridique. [...] Nous avons donc estimé que le risque valait la peine au regard du message que nous voulions faire passer. Ces acquisitions ont déclenché une double protestation. [...] Nous avons décidé de faire machine arrière. Nous avons fait amende honorable et avons décidé de les restituer, de les offrir au Nigeria[31]. » La « prise de risque éthique » est entrée en jeu dans plusieurs autres acquisitions des années 1990.

> Nous recommandons la restitution des pièces acquises après 1960 dans des conditions avérées de trafic illicite.

30. Alan Riding, « Chirac Exalts African Art, Legal and (Maybe) Illegal », *New York Times*, 25 novembre 2000.
31. « "Le musée du quai Branly est un outil évolutif". Entretien d'Ayoko Mensah et Malick Ndiaye avec Stéphane Martin », *in Réinventer les musées*, op. cit., p. 123 à 129, ici p. 126.

Critères de restituabilité

L'intégration massive et continue, sur plus d'un siècle et demi, du patrimoine matériel de l'Afrique dans les collections françaises invite à répondre aux demandes de restitution venant d'Afrique en fonction du schéma suivant :

1. *Restitution rapide*, et sans recherches supplémentaires de provenance, des objets prélevés en Afrique par la force ou présumés acquis dans des conditions inéquitables :

a) lors d'affrontements militaires (butins, trophées), que ces pièces soient venues directement en France ou qu'elles aient transité sur le marché de l'art international avant d'intégrer les collections ;

b) par des personnels militaires ou administratifs actifs sur le continent pendant la période coloniale (1885-1960) ou par leurs descendants ;

c) lors de missions scientifiques antérieures à 1960.

Certains musées continuent par ailleurs d'abriter des œuvres d'origine africaine qui leur avaient été prêtées par des institutions africaines pour des expositions ou des campagnes de restauration, mais qu'ils n'ont jamais rendues. Ces pièces doivent faire l'objet d'un retour rapide à leurs institutions d'origine[32].

32. Quelques cas singuliers pourraient ici être mentionnés, concernant notamment la situation d'objets prêtés à des institutions françaises mais toujours présent dans les réserves. Christine Lorre, conservatrice en chef au musée d'Archéologie nationale de Saint-Germain-en-Laye, a ainsi attiré notre attention sur un lot d'outillage lithique en provenance de Melka Kunture (Éthiopie). Les pièces avaient été déplacées du site pour en effectuer des moulages (par ailleurs exposés dans la salle d'archéologie comparée du musée) et se trouvent toujours conservées au musée, dans l'attente de la régularisation de la situation.

2. *Recherches complémentaires* lorsque les pièces réclamées sont entrées dans les musées après 1960 et par le biais de dons, mais qu'on peut néanmoins supposer qu'elles ont quitté l'Afrique avant 1960 (cas des pièces restées pendant plusieurs générations au sein de familles). Dans les cas où les recherches ne permettraient pas d'établir de certitudes quant aux circonstances de leur acquisition à l'époque coloniale, les pièces réclamées pourraient être restituées sur justification de leur intérêt pour le pays demandeur.

3. *Maintien dans les collections françaises* des pièces africaines dont il est établi qu'elles ont été acquises :
a) à la suite d'une transaction fondée sur un consentement, à la fois libre, équitable et documenté ;
b) avec la vigilance nécessaire sur le marché de l'art après l'entrée en vigueur de la convention de l'Unesco de 1970, autrement dit sans « prise de risque éthique ». Les dons de chefs d'État souverain aux chefs de gouvernement français restent acquis à la France, sauf dans les cas où les chefs d'État concernés ont été condamnés dans leurs pays d'origine pour détournement de biens publics.

Chronogramme pour un programme de restitution

Nous suggérons un processus de restitution en trois étapes à compter de la remise de ce rapport. Les translocations patrimoniales qui ont affecté l'Afrique au profit de la France se sont déroulées sur un temps long. Le processus de restitution, pour être pérenne et ne pas faire courir de risques inutiles aux objets, pour laisser à tous les acteurs, sur les deux continents, le temps d'élaborer un « savoir-faire » commun des restitutions, doit notamment s'adapter au rythme et à l'état de préparation des pays africains concernés. Sur ces questions culturelles sensibles, l'État français ne doit pas imposer son rythme et son agenda politique aux États africains. Il faut néanmoins donner rapidement des gages de confiance aux pays d'Afrique, en particulier à ceux qui sont engagés depuis longtemps dans des démarches de réclamation (adressées à la France ou à d'autres pays européens).

Première étape (novembre 2018-novembre 2019)

– Remise solennelle aux États africains concernés des inventaires d'œuvres issues de leur territoire (selon les frontières actuelles) et conservées présentement dans des collections publiques françaises.

– Restitution solennelle de quelques pièces hautement symboliques réclamées depuis longtemps par différents États ou communautés africains, pour prouver la réelle volonté de restitution de l'État français.

– Élaboration commune, entre experts des musées et du patrimoine en France et en Afrique, d'une méthodologie pratique des restitutions.

– Transfert (c'est-à-dire retour matériel) de ces pièces dans leurs pays d'origine si les pays réclamants considèrent que les infrastructures destinées à les accueillir sont prêtes à le faire.

– Parallèlement, adoption de mesures législatives et de règles pour rendre ces restitutions irrévocables.

N. B. : L'organisation d'expositions temporaires pour marquer le « retour » d'œuvres qui seraient ensuite renvoyées en France en attendant que les États propriétaires soient équipés doit selon nous être évitée, plusieurs exemples passés ayant montré l'effet délétère produit sur les publics africains par le « second départ » d'œuvres qu'ils croyaient revenues (exposition « Béhanzin, roi d'Abomey » à la fondation Zinsou, au Bénin, en 2006-2007 ; exposition « Ciwara, collections du musée du quai Branly » au musée national du Mali, à Bamako, en 2011).

Cette première étape pourrait concerner les objets suivants[33] :

1. *Bénin.* Les statues et *regalia* provenant du sac d'Abomey de 1892, en particulier les pièces suivantes (musée du quai Branly-Jacques Chirac), objet de réclamations déjà anciennes :

– Statue *bochio* à l'image du roi Ghézo (71.1893.45.1, *voir illustration 1*).

– Statue royale anthropozoomorphe (71.1893.45.2, *voir illustration 2*).

– Statue royale anthropozoomorphe (71.1893.45.3, *voir illustration 3*).

– Quatre portes du palais royal (71.1893.45.4 à 71.1893.45.7).

– Siège royal (71.1893.45.8).

– Sculpture dédiée à Gou (71.1894.32.1, *voir illustration 4*).

– Trône du roi Glèlè (71.1895.16.7).

– Trône du roi Ghézo (71.1895.16.8).

Les autres pièces de même provenance seraient restituées dans un second temps *(voir ci-après).*

2. *Sénégal.* Les pièces suivantes issues du butin de guerre fait à Ségou (trésor d'El Hadj Omar-Ahmadou) conservées

33. La liste qui suit est une proposition ouverte : elle ne prétend pas à l'exclusivité et concerne en première ligne des pièces réclamées depuis longtemps par les pays d'origine.

au musée du quai Branly-Jacques Chirac, au musée de l'Armée et au Muséum d'histoire naturelle du Havre :

– Sabre d'El Hadj Omar Foutiyou Tall (musée de l'Armée, n° 6995).

– Objets conservés au Muséum d'histoire naturelle du Havre.

– Colliers, pendentifs, perles et médaillons (musée du quai Branly-Jacques Chirac, 75.8142, 75.8148, 75.8159.1-2, 75.8160, 75.8162, 75.8164, *voir illustrations 5 et 6*).

Les autres pièces de même provenance pourraient être restituées ou faire l'objet d'accords de numérisation (manuscrits de la Bibliothèque nationale de France) dans un second temps *(voir ci-après)*, en accord avec la famille Tall.

3. *Nigeria.* Les pièces suivantes conservées au musée du quai Branly-Jacques Chirac, provenant du sac de Benin City par l'armée britannique en 1897 et qui ont circulé dans les musées et/ou sur le marché de l'art européen avant d'être acquises plus tardivement et d'intégrer les collections nationales. La restitution des objets saisis lors de cette expédition punitive est réclamée depuis plusieurs décennies par le Nigeria et occupe une grande place dans l'imaginaire public (plusieurs films grand public sur le sujet, existence d'un « Benin Dialogue Group » international, etc.). Les pièces sont classées ici par ordre de priorité :

– Plaque figurative (71.1931.49.19, *voir illustration 7*).
– Défense sculptée (73.1962.7.1).
– Tête anthropomorphe (73.1969.3.1 *bis*).
– Plaque (73.1997.4.1).
– Tête d'autel royal (73.1997.4.3, *voir illustration 8*).

Les autres pièces de même provenance seraient restituées dans un second moment *(voir ci-après)*, en accord avec les autorités nigérianes et la famille royale (Oba).

4. *Éthiopie.* Les peintures sacrées détachées des murs de l'église Saint-Antoine (Abbā Antonios) de Gondar et exportées illicitement d'Éthiopie en 1932 (mission Dakar-Djibouti) conservées au musée du quai Branly-Jacques Chirac. L'Éthiopie était opposée à ces exportations au moment même où elles ont eu lieu. Elle compte parmi les États africains qui réclament le plus activement le retour de leur patrimoine depuis plusieurs décennies.

– Peintures de l'église Abbā Antonios (71.1931.74.3584 à 71.1931.74.3595, *voir illustration 9*).

Nombre d'autres pièces de même provenance (y compris de nombreux manuscrits) peuvent être restituées, si elles sont réclamées, dans un second moment *(voir ci-après)*.

5. *Mali.* Certaines des pièces suivantes « collectées » lors des missions Labouret (1932), Dakar-Djibouti (1931-1933), Sahara-Soudan (1935) et Niger-Lac Iro (1938-1939) :

– Masque zoomorphe Ciwara kun (musée du quai Branly-Jacques Chirac, 71.1930.26.3).

– Masque et poitrine postiche de jeune fille (musée du quai Branly-Jacques Chirac, 71.1930.31.22.1-2, *voir illustration 10*).

– Masque anthropomorphe Satimbe (musée du quai Branly-Jacques Chirac, 71.1931.74.1948, *voir illustration 11*).

– Mère des masques Imina na (musée du quai Branly-Jacques Chirac, 71.1931.74.2002).

– Objet cultuel composite Boli (musée du quai Branly-Jacques Chirac, 71.1931.74.1091.1, *voir illustration 12*).

– Masque Sim (musée du quai Branly-Jacques Chirac, 71.1935.60.169).

– Masque Sim Kalama Nãngala (Institut d'ethnologie de l'université de Strasbourg, 2002.0.241).

Il faut que le choix des pièces dont le retour doit intervenir en priorité soit fixé dans un dialogue et suivant un protocole établis avec le directeur du musée national du Mali, et en accord avec les autorités maliennes. D'autres pièces de même provenance pourront être restituées dans un second temps[34] *(voir ci-après).*

6. Cameroun. Trône « collecté » au Cameroun dans le cadre de la mission Henri Labouret en 1934 (musée du quai Branly-Jacques Chirac, 71.1934.171.1, *voir illustration 13*).

Les autres pièces saisies dans le même contexte pourront être restituées dans un second temps, en dialogue avec l'État camerounais et les communautés concernées *(voir ci-après).*

Deuxième étape (printemps 2019-novembre 2022)

La deuxième étape est celle de l'inventaire, du partage numérique et d'une intensive concertation transcontinentale. Elle se découpe en quatre volets distincts et doit conduire

34. Par exemple, au musée du quai Branly-Jacques Chirac : 71.1931.74.1048.1, masque zoomorphe (Dakar-Djibouti) ; 71.1931.74.1907, masque zoomorphe Omono (Dakar-Djibouti) ; 71.1931.74.1948, masque anthropomorphe (Dakar-Djibouti) ; 71.1931.74.1999, masque facial zoomorphe Dyodyomini (Dakar-Djibouti) ; 71.1935.60.198, masque zoomorphe (Sahara-Soudan) ; 71.1935.60.233, masque facial anthropozoomorphe Gomitogo (Sahara-Soudan) ; 71.1935.60.286, masque anthropozoomorphe Kanaga (Sahara-Soudan) ; 71.1935.60.325, masque anthropomorphe Imina na (Sahara-Soudan) ; 71.1935.105.27, masque zoomorphe Na ; 71.1935.105.34, masque zoomorphe (Paulme-Lifchitz).

à la mise en ligne en libre accès, ou à la restitution bien ordonnée, d'ici cinq ans, du matériel iconographique, cinématographique et sonore concernant les sociétés africaines, ainsi que d'un certain nombre d'œuvres authentiques jugées importantes par les États ou les communautés concernés.

– Inventaires

Mobilisation de tous les moyens humains et financiers nécessaires à l'établissement rapide et à la mise en ligne d'un inventaire des collections africaines conservées dans les musées publics français. Cet inventaire fait encore défaut pour un grand nombre de musées. Sans inventaire et sans accès facile à celui-ci, les demandes de restitution ne peuvent s'opérer que dans un flou délétère. Le travail d'inventaire doit être mené main dans la main entre professionnels des musées et du patrimoine en France et en Afrique. Il constitue pour le côté africain un premier pas dans la (re)prise de contact avec des collections dont l'existence (à défaut d'inventaires facilement accessibles) est souvent ignorée par les professionnels africains eux-mêmes, et *a fortiori* par les sociétés.

– Partage numérique

Partage radical, dans le cadre du projet de restitution, des objets numérisés, y compris en ce qui concerne la politique des droits à l'image. Un grand nombre de documents photographiques, sonores ou cinématographiques concernant les sociétés africaines autrefois soumises à la tutelle coloniale française ont en effet été l'objet ces dernières années de campagnes de numérisation intensives (par exemple, l'iconothèque du musée du quai Branly-Jacques Chirac). Étant donné la multitude d'institutions françaises concernées et la difficulté qu'il y a, pour un public étranger, à s'orienter parmi ces institutions, nous préconisons l'élaboration d'un portail unique donnant accès à cette précieuse documentation en libre accès. Un plan de numérisation systématique des documents concernant l'Afrique non encore numérisés doit être par ailleurs établi, qui devra concerner aussi, après concertation avec les parties impliquées, les collections de manuscrits (éthiopiens, omariens, etc.) de la Bibliothèque nationale de France. Il va sans dire que l'actuelle politique de droits de reproduction des images doit faire l'objet d'une révision complète en ce qui concerne les demandes émanant des pays d'Afrique pour les œuvres et sociétés africaines photographiées, filmées ou enregistrées. La gratuité d'accès et d'usage de ces images et documents doit être visée.

– Ateliers

Tenue régulière et structurée, en France et dans les pays africains concernés, d'ateliers bilatéraux ou multilatéraux permettant aux acteurs directement concernés par les restitutions (conservateurs de musée, responsables du patrimoine, représentants de communauté, restaurateurs, mécènes) de partager ou d'élaborer en commun des « savoir-faire » de la restitution et de l'accompagnement des retours (et des départs) en France comme en Afrique.

– Commissions paritaires

Création de commissions paritaires entre la France et chacun des États africains désireux de recouvrer leur patrimoine. Elles viseraient à structurer et à modérer le dialogue entre les institutions françaises, d'une part, et les représentants des musées et des communautés concernés, désignés par les États africains, d'autre part.

Leurs missions seraient les suivantes :

– Examiner les demandes de restitution et émettre un avis selon la procédure exposée dans le quatrième chapitre du présent rapport. À ce titre, chaque commission veillerait à une information partagée entre tous les acteurs et institutions concernés, en France comme en Afrique, sur les modalités de restitution.

– Définir des axes de recherche destinés à établir des listes d'objets restituables. À ce titre, les commissions seraient informées des partenariats mis en place entre experts, chercheurs ou conservateurs des pays et musées concernés pour établir la provenance des objets.

– Préconiser, au cas par cas, les mesures d'accompagnement indispensables à la réussite des opérations de « départ » et de « retour », et notamment des actions de coopération scientifique, la fourniture d'équipements pour l'accueil et la conservation des objets restitués, ou encore la formation des personnels chargés de la conservation et de la médiation et la recherche de mécénats privés.

– Formuler des recommandations pour la présentation des objets africains dans les musées de France. Les commissions seraient informées d'éventuels projets d'exposition.

Troisième étape (à partir de novembre 2022)

Les translocations patrimoniales qui ont affecté l'Afrique au profit de la France se sont déroulées sur une longue durée. Le processus de restitution ne doit pas être limité dans le temps. Il faut éviter de donner l'impression que la fenêtre historique qui s'est ouverte lors du discours de Ouagadougou en novembre 2017 risque de se refermer très vite et éviter du même coup les actions précipitées d'États qui, pour des raisons sociales, politiques, économiques ou autres, ne se sentiraient pas encore concernés ou prêts. Les États africains doivent être assurés que leurs éventuelles demandes de restitution pourront encore être accueillies au-delà de « cinq ans » (pour reprendre l'agenda fixé par Emmanuel Macron), lorsque, par exemple, la situation politique ou le paysage muséal leur permettra d'envisager sereinement le retour, la réinstallation et/ou la circulation des pièces récupérées. Dans cette optique, il est particulièrement important que la commission et les ateliers mis en place dans le deuxième temps *(voir p. 113 à 114)* soient conçus pour durer et que leur financement soit assuré.

CHAPITRE 4

Accompagner les retours

Organiser les retours des objets africains est un travail à plusieurs dimensions. La première – celle qui marquera la rupture avec la situation antérieure – est d'instituer en droit interne une voie de restitution définitive par la création d'une procédure *ad hoc* posant les bases d'un processus apaisé. Il s'agit également de rationaliser et de développer dans un cadre bilatéral, au cas par cas, les diverses actions de coopération qui entoureront la décision de restitution et qui fonderont un nouveau contexte de relations culturelles entre la France et chaque pays africain[1].

Écrire un droit *ad hoc* des restitutions

L'ambition de refonder des relations avec les pays africains en matière patrimoniale passe nécessairement par l'étape symbolique de la restitution définitive d'objets conservés dans les collections françaises. Cette restitution définitive suppose une évolution du droit positif, par

1. Les réflexions et recommandations qui suivent ont été mûries notamment dans le cadre d'un atelier juridique tenu le 26 juin 2018 au Collège de France, à Paris, coordonné par Isabelle Maréchal et Vincent Négri.

l'adoption d'une loi spéciale ou une modification du code du patrimoine, qui offre une issue au débat difficile sur le principe d'inaliénabilité des collections publiques.

Les objets africains, au-delà des sorties effectuées pendant la période coloniale, ont été une cible privilégiée des trafiquants et des faussaires, de toutes nationalités, pendant les décennies qui ont suivi. La démarche de restitution ne peut que conduire à questionner les outils actuels de lutte contre ou, mieux, de prévention renforcée de ces trafics.

Comment sortir de l'impasse actuelle ?

Le droit actuel qui est jusqu'ici opposé aux demandes de restitution repose sur le jeu croisé des dispositions du code du patrimoine et du code général de la propriété des personnes publiques (CG3P). Le code du patrimoine et le CG3P, adoptés par voie d'ordonnance respectivement en 2004 et 2006, ont produit une situation formellement plus verrouillée que par le passé – du XIXe siècle aux années 2000 – quand la protection des collections de musée reposait essentiellement sur la jurisprudence. Le droit actuel pose une définition du domaine public mobilier englobant tous les biens culturels – notamment les collections publiques – et adossant leur protection aux règles d'imprescriptibilité et d'inaliénabilité du domaine public.

Le blocage qui s'ensuit paraît résulter d'une application stricte de la lettre des textes, sans doute peu conforme à leur esprit. Les parlementaires ont à plusieurs reprises tenté de légiférer pour atténuer le caractère absolu de l'inaliénabilité des collections d'objets de musée, principal obstacle aux restitutions.

Transactions avec les règles de la domanialité publique

Les rares cas de restitution des vingt dernières années n'ont été possibles que par des transactions avec les règles de la domanialité publique. Deux moyens ont été utilisés :

a) La solution la plus simple a été le recours à une loi d'exception, dérogeant aux textes applicables en matière de patrimoine et de domanialité publique. Ce procédé a été utilisé pour la restitution des « restes de la dépouille mortelle de la personne connue sous le nom de Saartjie Baartman », dite Vénus hottentote, en 2002[2], puis pour celle des « têtes maories conservées par des musées de France » en 2010[3] ; il sera également utilisé prochainement pour le retour des crânes des résistants algériens à la colonisation.

Par sa visibilité et sa solennité – armée par le double principe de dignité et de respect dû aux morts –, cette voie limite à l'extrême les cas de restitution.

Ces lois spéciales mettent en avant le caractère particulier des « restes humains » et les conditions de leur appropriation. La jurisprudence a admis que les dispositions du code du patrimoine, qui rendent inaliénables les biens d'une personne publique constituant une collection des musées de France, placent ces biens sous un régime de protection particulière et de propriété spéciale ; ce régime juridique n'est pas neutralisé par le code civil, notamment son article 16-1,

2. Loi n° 2002-323 du 6 mars 2002 relative à la restitution par la France de la dépouille mortelle de Saartjie Baartman à l'Afrique du Sud.

3. Loi n° 2010-501 du 18 mai 2010 visant à autoriser la restitution par la France des têtes maories à la Nouvelle-Zélande et relative à la gestion des collections.

qui place hors commerce (exclusion de toute appropriation) le corps humain, ses éléments et ses produits[4].

Le respect dû aux morts et l'importance mémorielle de ces restes humains, notamment pour leur communauté d'origine, a permis d'écarter, par voie législative et dans un consensus certain, l'application des procédures normales de déclassement du domaine public, qui n'auraient d'ailleurs pu conduire qu'à un refus.

b) Le second moyen a été d'écarter l'application à l'objet considéré des textes sur le domaine public, au motif de sa non-appartenance à la collection du musée.

La non-appartenance peut être de fait…

On sait que les œuvres estampillées depuis 1953 « MNR » (Musées nationaux récupération), reliquat non restitué des soixante mille œuvres pillées par l'occupant nazi, n'ont jamais été intégrées aux collections publiques, afin précisément de permettre leur restitution une fois les propriétaires ou les ayants droit identifiés ou reconnus. Dans une autre perspective, les restitutions de biens culturels chinois opérées en 2015[5] ont été rendues possibles par le retrait, à la demande de l'État, du don fait quelques années auparavant

4. TA Rouen, 27 décembre 2007, Préfet de la Seine-Maritime C/ Ville de Rouen, aff. n° 0702737 ; CAA Douai, 24 juillet 2008, Ville de Rouen, aff. n° 08DA00405. Le juge administratif écarte l'argumentaire de la Ville de Rouen, qui faisait valoir qu'en tant que restes humains les têtes maories étaient insusceptibles d'appropriation publique ou privée et que, ces objets ne pouvant faire partie de ce fait de la collection du musée, les procédures consultatives prévues par le code du patrimoine ne pouvaient lui être opposées.
5. Quatre plaquettes en or incisées d'images stylisées d'oiseaux, sorties de Chine avant la ratification de la convention de l'Unesco de 1970 et dont les origines se sont avérées douteuses à la suite d'un travail commun d'analyses d'experts français et chinois effectué vingt ans plus tard…

par un collectionneur privé au musée Guimet. Dès lors, redevenus propriété privée, ces objets ont pu être restitués directement par le donateur à l'État chinois.

… ou résulter de la découverte d'un vice originel irréparable entachant l'acquisition

Ainsi, les biens issus de trafics illicites qui seraient entrés dans les collections publiques après 1997[6], par suite d'une négligence dans la vérification de la provenance lors de l'acquisition, ou dont le caractère illicite serait révélé par la découverte d'éléments nouveaux, peuvent faire l'objet, depuis la loi du 7 juillet 2016[7], d'une annulation par voie judiciaire de leur acquisition (par vente, don ou legs) à l'initiative de la personne publique abusée[8].

L'objet étant ainsi réputé n'être jamais entré dans le domaine public, la question du déclassement ne se pose pas et, selon le nouvel article du code du patrimoine[9], le juge peut ordonner sa restitution à son propriétaire d'origine.

6. Ratification par la France, le 7 janvier 1997, de la convention de l'Unesco de 1970 concernant les mesures à prendre pour interdire et empêcher l'importation, l'exportation et le transfert de propriété illicites des biens culturels.
7. Loi n° 2016-925 du 7 juillet 2016 relative à la liberté de la création, à l'architecture et au patrimoine.
8. Cette possibilité vise essentiellement à décourager le trafic de biens culturels et notamment les pillages liés au financement du terrorisme.
9. Article L. 124-1 du code du patrimoine, issu de la loi n° 2016-925 du 7 juillet 2016 relative à la liberté de la création, à l'architecture et au patrimoine.

Résonances avec la démarche de restitution du patrimoine africain

Ces procédures ou ces montages qui ont permis des restitutions ponctuelles ne constituent pas une réponse à la revendication des objets du patrimoine africain, telle qu'elle s'est dessinée au long des concertations conduites au cours de la mission.

Il s'agit en effet avant tout de remédier à la situation de la très grande expatriation de ce patrimoine. Sa rareté dans les pays d'origine est non seulement préjudiciable à la préservation des cultures nationales et communautaires, mais elle handicape aussi durablement les perspectives de constitution d'une offre muséale prestigieuse porteuse de développement économique. Il est donc nécessaire de poser les bases d'une réflexion globale sur les collections africaines conservées en France, ainsi que la provenance des objets, et de déterminer une procédure de restitution portant potentiellement sur un nombre significatif de pièces, et intégrant des objectifs scientifiques[10].

Le traitement d'une demande de restitution nécessite de prendre en compte deux difficultés majeures, outre celle de l'inaliénabilité des collections.

La première est que de nombreux objets des collections des musées ont été acquis auprès de leur propriétaire d'origine par la violence ou la ruse, ou dans des conditions iniques liées notamment à l'asymétrie du « contexte

10. Les recherches sur la « provenance » concernent l'origine géographique, les modalités de son acquisition auprès de son ou ses propriétaires originels, les circonstances de sa sortie du territoire naturel et de son entrée dans les collections du musée en France.

colonial », mais pour une large part à une époque antérieure aux conventions de La Haye de 1899 et 1907, quand la pratique du butin et celle du trophée étaient encore admises. La collecte par des missions scientifiques, financées par l'État et qui ont accompagné l'exploration et la conquête militaire de nouveaux territoires, a été un autre mode de prélèvement largement mis en œuvre.

Le contexte d'acquisition est donc déterminant dans la réponse à apporter aux demandes de restitution. Pour inacceptables qu'ils soient à nos yeux à présent, ces actes ne sont pas juridiquement qualifiés de crimes par le droit international, contrairement aux spoliations nazies, qui ont suscité un cadre juridique spécifique[11], et aux pillages et destructions en temps de guerre postérieurs à la convention de l'Unesco de 1954 pour la protection des biens culturels en cas de conflit armé.

Pour autant, dès lors que des faits commis aujourd'hui, analogues à des situations passées tant du point de la violence perpétrée que de ses conséquences, ouvriraient pour les victimes un droit à réparation prévu par le droit international contemporain, il est légitime de poser la question d'un droit à restitution des objets issus de faits similaires commis pendant la période coloniale.

La deuxième difficulté est que les objets africains des collections publiques ont pour nombre d'entre eux été légués ou donnés aux musées, par les héritiers de colons, de militaires engagés dans les opérations de conquête, d'administrateurs des colonies ou de missionnaires parfois plusieurs décennies après le décès de leur aïeul. Les modalités de l'acquisition

11. Déclaration interalliée à Londres en 1943 contre les actes de dépossession commis dans les territoires sous occupation et contrôle ennemis.

initiale de ces objets qui s'étale sur presque un siècle et demi peuvent avoir été très diverses : butin de guerre bien sûr, vols, dons plus ou moins librement consentis, mais aussi trocs, achats[12], équitables ou non, ou même commandes directes auprès d'artisans ou d'artistes locaux.

Le plus souvent, le musée bénéficiaire de dons déjà anciens n'a que peu d'informations sur les conditions de l'acquisition première des objets, et parfois même sur leur provenance exacte. Or les objets des musées issus de dons et legs bénéficient d'une inaliénabilité explicite, au titre du code du patrimoine, et la matière est régie par le code civil, qui ne fait pas de distinction selon que le bénéficiaire est une personne publique ou privée.

Enfin, le plus important sans doute dans l'approche nouvelle est la volonté d'instaurer un partenariat franco-africain pour établir la liste des objets susceptibles de demandes de restitution, de conduire, suivant les cas et lorsque cela sera nécessaire, des recherches sur la provenance de l'objet et d'élaborer des « savoir-faire » communs de la restitution et de son accompagnement muséographique sur les deux continents.

Le dispositif juridique envisagé

L'objectif du retour au pays d'origine est l'élément clé d'un accord bilatéral, qui rendra possible la mise en œuvre de la procédure de restitution définitive. Cette procédure d'exception ne se limiterait pas aux objets de musée.

12. Plus ou moins éclairés : on a pu constater très tôt l'apparition de contrefaçons, fabriquées pour satisfaire à la demande de cette « clientèle » nouvelle… Les plus anciennes dateraient des conquêtes espagnoles au Mexique au XVIe siècle.

Les éléments de contexte qui ont guidé les choix de la proposition

La première difficulté de cet exercice était de permettre d'engager un processus de restitution sans pour autant remettre en cause le principe général d'inaliénabilité des objets culturels propriétés publiques – principe fondateur de la législation des musées de France. La solution proposée repose sur le lien indissociable entre la procédure de restitution *ad hoc* et l'accord de coopération bilatéral qui fonde la dérogation au principe général d'inaliénabilité et la limite à cette seule hypothèse. Un tel procédé existe dans d'autres domaines, notamment en matière médicale, qui permet de soumettre à l'existence d'un accord bilatéral une dérogation au droit commun législatif[13] au bénéfice d'un pays tiers.

La deuxième difficulté était de concilier le caractère volontariste de l'intention de restitution, alors que notre connaissance de la provenance des objets conservés sur notre territoire est très inégale. Or, ainsi qu'il a été exposé plus haut, la connaissance des circonstances d'acquisition initiale est essentielle dans notre démarche.

Le cadre procédural proposé est suffisamment souple pour permettre des restitutions rapides dès lors que la provenance des objets est connue et que le vice de consentement lors de l'acquisition des objets est manifeste ou fortement présumé, afin de témoigner de la volonté réelle de rupture avec les blocages antérieurs.

Mais il doit également s'adapter à la diversité des situations et à celle de l'état des connaissances des collections

13. Article L. 4111-1-2 du code de la santé publique.

africaines en France, ainsi qu'à la diversité des attentes des pays partenaires. Cela nécessite de laisser la place nécessaire à un travail commun de recherche et de concertation, soit pour établir les circonstances d'acquisition de façon certaine, soit pour réunir les éléments de présomption suffisante d'une acquisition contrainte.

Ce cadre procédural vise en outre à permettre ponctuellement la restitution d'objets dont, malgré des recherches, les conditions d'acquisition resteront inconnues, mais dont l'intérêt scientifique pour les collections africaines sera établi.

Enfin, il importe de s'assurer que le processus est soutenable dans sa mise en œuvre ; ce qui pourrait être garanti par deux éléments procéduraux :

– le dialogue partenarial et le consensus scientifique entre experts africains et français sur l'origine des biens ;

– l'examen pour avis des demandes par une commission d'experts scientifiques désignés par les deux États parties, dont la saisine obligatoire permettra de surcroît un suivi des résultats du processus de restitution pays par pays.

La restitution requiert une procédure *ad hoc*

Cette procédure nouvelle pourrait être un texte de loi autonome ou s'insérer au livre Ier du code du patrimoine consacré aux « Dispositions communes à l'ensemble du patrimoine culturel », afin de ne pas limiter les restitutions aux biens formellement entrés dans les collections des musées. Bien que ces dernières soient certainement de loin les plus riches en objets africains restituables, le processus pourra en effet concerner d'autres objets relevant du code du patrimoine (archives, ouvrages des bibliothèques).

La procédure s'engagerait sur la base de la demande formelle du pays demandeur, qui pourra être déposée rapidement s'agissant des objets dont l'origine et les conditions d'acquisition sont suffisamment connues pour que l'établissement du dossier d'instruction ne nécessite pas de travaux de recherche. Pendant la durée de validité de l'accord de coopération, renouvelable selon la volonté des parties, d'autres demandes pourront porter sur une ou plusieurs listes d'objets dont l'intérêt et la provenance auront été étudiés dans le cadre des partenariats de recherche prévus par le ou les programmes d'action triennaux.

La commission paritaire d'experts désignés par les deux États parties, dont la composition et les missions figureront dans l'accord de coopération, évaluera les dossiers d'instruction des objets de la liste qui lui seront soumis. Pour formuler son avis, elle appréciera les éléments relatifs à la provenance des objets et, si les conditions de l'acquisition initiale ne peuvent être clairement établies, leur complémentarité avec d'autres objets restitués ou leur intérêt pour le pays ou la communauté d'origine.

Elle vérifiera également l'état des collections nationales après restitution, et sera informée le cas échéant des mesures envisagées pour garantir la continuité de la présence de l'art et de l'histoire du pays contractant sur le territoire national.

Son examen devrait donc être modulé, selon le degré de connaissance de l'origine de l'objet :

– il s'agirait d'une simple vérification des conclusions des travaux de recherche de provenance effectués, lorsque ceux-ci concluront à un vice de consentement lors de l'acquisition des objets, manifeste ou fortement présumé ;

– en revanche, elle donnerait un avis d'opportunité sur la restitution au regard de l'intérêt scientifique de l'objet pour les collections du pays demandeur lorsque les circonstances d'acquisition de l'objet demandé restent inconnues, malgré les recherches.

L'avis favorable de la commission d'experts permettra la sortie de l'objet de la collection du musée dans laquelle elle était conservée, et sa restitution, sur décision de la personne publique propriétaire, au pays demandeur.

La restitution serait fondée sur un accord de coopération

L'accord de coopération culturelle, conclu entre la France et chaque pays demandeur, aura pour socle l'objectif de restitution définitive. Dans ce but, l'accord de coopération culturelle prévoira, entre autres mesures, l'établissement ou l'achèvement de l'inventaire des objets en provenance du pays africain contractant, la définition de programmes de recherche partenariale triennaux, renouvelables, pour déterminer la provenance des objets dont on ne connaît pas actuellement les conditions d'acquisition initiale, la création d'une commission paritaire d'experts désignés par les deux pays pour examiner les demandes de restitution, des modalités de coopération culturelle et scientifique sur le long terme, ainsi que des actions de formation de professionnels et de sensibilisation du public, et la désignation d'un comité de suivi de l'ensemble de ces actions.

La liste ou les listes d'objets établies grâce aux travaux de recherche prévus par cet accord fonderont la demande de restitution. Sauf si elle est déjà connue avant la conclusion de l'accord[14], l'établissement de cette liste nécessitera que les inventaires des objets africains dans les musées soient

14. Ce qui peut être le cas pour les revendications anciennes, comme celle du Bénin par exemple.

achevés et rendus accessibles, et que soient mis en place les partenariats entre experts, chercheurs ou conservateurs des pays et musées concernés pour établir la provenance des objets.

L'accord prévoira un programme de coopération scientifique et d'actions d'accompagnement (équipements d'accueil et de conservation des objets restitués, formation éventuellement nécessaire des personnels chargés de la conservation et de la médiation). Le programme précisera les modalités de financement des actions qu'il définit.

Sous l'égide de la commission bilatérale d'experts, les institutions et les communautés concernées en France comme en Afrique, seront informées et associées aux démarches de restitution, selon les modalités définies par ce programme.

L'accord intégrera également une coopération accrue en matière de lutte contre les trafics de biens culturels.

Suivant les cas, la ratification de l'accord serait une bonne précaution pour garantir les engagements financiers, en dépit du délai que cette procédure engendre.

Le financement des actions de restitution

Les programmes de recherche partenariaux pourraient concourir, si nécessaire, à l'amélioration des inventaires des collections africaines, à partir desquels pourront être étudiées les questions de provenance et formulées les demandes de restitution.

Les autres actions de coopération (soutien à l'investissement de création ou de modernisation de musées, formation des conservateurs et restaurateurs, expositions temporaires, partage d'information sur les trafics de biens culturels) pourront être financées selon les modalités habituelles, dès lors qu'une enveloppe dédiée serait réservée à la mise en œuvre des accords bilatéraux de restitution.

Les coûts liés à la procédure de restitution définitive devront en tout état de cause être évalués et bénéficier d'une prise en charge spécifique, tant en moyens humains qu'en moyens financiers des ministères concernés.

Le retour des œuvres nécessite en tout état de cause un budget dédié aux frais de transport et d'assurance, dont on sait qu'ils peuvent être très élevés selon la fragilité de l'œuvre en cause et sa valeur marchande.

Là encore, il sera important d'être constructifs… Il serait concevable que des financements en mécénat puissent être consacrés aux opérations de restitution, ou que la restitution des objets d'art africain puisse figurer au panel des interventions de l'Agence française de développement, ou encore que des fonds européens viennent soutenir cette démarche.

À qui rendre ?

Dans le cadre de ses relations internationales, l'État français veille au respect de la souveraineté des États ; à ce titre, les procédures de restitution seront engagées dans une relation d'État à État, ce qui n'exclut pas que des arrangements administratifs puissent consacrer des collaborations directes entre des institutions de l'État ou d'administrations et leurs homologues d'un autre pays. Il n'en est pas de même des collectivités territoriales, qui peuvent développer des relations de coopération avec d'autres collectivités locales ou institutions étrangères[15]. Les objets des collectivités territoriales pourront être restitués par leur représentant, mais la remise des objets ne pourra être faite qu'au représentant de l'État demandeur.

Les biens seraient donc restitués à l'État demandeur, à charge pour celui-ci, après négociation, de rendre l'objet à sa communauté ou à son propriétaire initial. C'est ainsi que les « têtes maories » ont été rendues au gouvernement néo-zélandais, qui représente juridiquement, dans le cadre des relations internationales, les intérêts de la communauté d'origine[16].

La procédure envisagée nécessite que l'État d'origine soit seul habilité à présenter une demande de restitution à l'État français et lui seul, ce qui n'empêche pas en amont des coopérations directes entre musées ou universités. Si la demande est instruite au plus près du terrain par les experts des musées concernés en France comme en Afrique, son examen est centralisé par le passage obligatoire devant la commission d'experts bilatérale, ainsi que par l'enregistrement des restitutions au fur et à mesure de leur intervention.

15. Dans le sillage des conventions de Lomé (1975) et de l'accord de Cotonou (2000), le partenariat Afrique-UE – cadre officiel de la coopération entre l'Union européenne et l'Union africaine adopté en 2007 par les chefs d'État et de gouvernement lors du deuxième sommet Afrique-UE – positionne les collectivités territoriales comme acteurs potentiels dans la politique d'aide au développement européenne, communément dénommée dans ce cadre « coopération décentralisée pour le développement ». Par ailleurs, dans les années 1990, émergent de nouvelles modalités de l'action internationale des collectivités territoriales, celle-ci étant devenue un moyen d'insérer les territoires dans la mondialisation.

16. Les têtes restituées sont dévolues au musée national Te Papa Tongarewa, à Wellington, où elles sont conservées dans une salle particulière accessible aux seules personnes agréées par la communauté d'origine.

En revanche, les mesures d'accompagnement et les travaux de recherche trouveront toute leur place dans un cadre de coopération décentralisée, qui pourra s'inscrire en cohérence avec l'accord de coopération bilatéral.

Garantir la pérennité des restitutions et renforcer la lutte contre le trafic illicite

Restituer le patrimoine africain en Afrique refondera une relation entre les États européens – dont la France – et les États africains, adossée notamment à l'écriture d'une histoire partagée. Le dessein politique de cette refondation commande, pour garantir la pérennité des collections africaines en Afrique, la formulation d'un droit commun entre la France et les États africains sur l'avenir des restitutions.

Cette problématique d'écriture et d'adoption de règles communes entre des États pour garantir des restitutions de biens culturels illicitement exportés a d'abord émergé en Europe, et plus précisément entre les États membres de l'Union européenne. Ainsi ces États européens disposent d'instruments d'intégration économique, culturelle et normative particulièrement développés sur certains aspects, notamment sur la restitution des biens culturels ; mais la mise en jeu et le bénéfice de ces mécanismes de restitution automatique de biens culturels volés ou illicitement exportés sont circonscrits aux seuls États membres de l'Union européenne[17].

17. La directive 2014/60/UE du Parlement européen et du Conseil du 15 mai 2014 relative à la restitution de biens culturels ayant quitté illicitement le territoire d'un État membre formule ce droit à restitution de biens culturels. Cette directive opère une refonte de la directive 93/7/CEE du Conseil du

Il en ira différemment lorsque la demande de restitution émanera d'un État extra-européen. Dans cette hypothèse, la protection de l'acquéreur de bonne foi et le principe de territorialité des lois – principe selon lequel le juge ne se prononce qu'en vertu de la seule loi du pays où est situé le bien au moment de la revendication – feront obstacle à la satisfaction de la demande de restitution[18]. En outre, la convention de l'Unesco de 1970 est dépourvue de tout effet s'agissant de biens culturels qui seraient retrouvés en mains privées[19].

Quant à la bonne foi, la Cour de cassation a confirmé un arrêt de la cour d'appel de Paris rappelant que « la bonne foi est toujours présumée et qu'il appartient à celui qui invoque une fraude de la prouver ». Le juge relève qu'« une mention du catalogue indique sous la signature d'un expert qu'un certain nombre d'objets sont issus de fouilles clandestines[20] », sans que ce constat altère la qualité de la bonne foi de l'acquéreur des objets archéologiques.

---

15 mars 1993 relative à la restitution de biens culturels ayant quitté illicitement le territoire d'un État membre, dont elle renforce les principes de restitution.

18. À propos de la revendication par l'Iran d'objets archéologiques, issus de fouilles clandestines et propriétés de l'Iran en application de la législation iranienne de 1979 sur le patrimoine archéologique, le juge français statue en ces termes : « Les objets litigieux étant situés en France, la République islamique d'Iran n'est pas fondée à solliciter l'application de la loi iranienne » (CA Paris, 6 juin 1989, M. Y. c/ République islamique d'Iran, aff. n° 88/20267, confirmée par Cass. civ. 1, 4 avril 1991, aff. n° 89-18020).

19. Sur cette question, rappelons la jurisprudence à propos de la revendication, en 2000, de statuettes Nok par le Nigeria : « Les dispositions de cette convention ne sont pas directement applicables dans l'ordre juridique interne des États parties, de sorte que M. X. est fondé à soutenir qu'elle ne stipule des obligations qu'à la charge de ces derniers et qu'elle ne crée aucune obligation directe dans le chef de leurs ressortissants » (CA Paris, 5 avril 2004, République fédérale du Nigeria c/ M. X., aff. n° 2002/09897, confirmée par Cass civ. 1, 20 septembre 2006, n° 04-115599.

20. CA Paris, 6 juin 1989, aff. citée.

Le déséquilibre entre le droit en vigueur dans le cercle des États européens, d'une part, et les principes que le juge oppose aux États extra-européens, d'autre part, affecte l'avenir des restitutions. La compensation de ce déséquilibre et l'écriture d'un droit commun des restitutions entre la France et l'Afrique requiert que soit ratifiée, par la France et par les États africains concernés, la convention de l'Institut international pour l'unification du droit privé (Unidroit) sur les biens culturels volés ou illicitement exportés, adoptée le 24 juin 1995. Cette convention met en place, pour l'avenir, un mécanisme de restitution automatique qui s'imposerait. Elle est le seul outil juridique susceptible de compenser le déséquilibre et de fonder un droit commun à restitution de biens illicitement exportés à l'époque actuelle ou à l'avenir, pour assurer la pérennité du processus engagé pour les biens culturels accaparés pendant la période coloniale.

En d'autres termes, la ratification de la convention d'Unidroit de 1995 inscrirait les restitutions dans une perspective durable.

On relèvera que les États européens, entre eux, ont noué une telle ambition en infusant les principes de cette convention dans la directive européenne du 15 mai 2014 relative à la restitution de biens culturels ayant quitté illicitement le territoire d'un État membre. Dès lors, l'extension de ces principes vers des États extra-européens, par le ressort de la convention d'Unidroit de 1995, ne devrait pas poser de difficultés.

Appropriation populaire

Accompagner les restitutions, c'est également travailler à ce que les communautés concernées ainsi que le grand public puissent s'approprier cette démarche dans l'ensemble de ses aspects. Au premier rang, les jeunesses africaines, celles issues de ses diasporas, et les jeunesses européennes, qui se montrent de plus en plus concernées par la question. En partenariat avec les collectifs et les associations agissant déjà sur le terrain, grâce à l'implication de la communauté scientifique, mais aussi d'auteurs, d'artistes, de cinéastes ou documentaristes des deux continents, un travail important de mise en récit polyphonique sera parallèlement à soutenir.

Crucial, ce travail permettra d'évoquer, sous une forme accessible à toutes et tous, les itinéraires souvent sinueux des pièces concernées, et d'initier à travers elles à une réflexion de fond sur les notions mêmes de mémoire, de « patrimoine » et d'histoire partagée. Ces démarches pourraient aboutir à la production d'ouvrages, de brochures et de films documentaires, à l'organisation d'événements permettant de stimuler les échanges et le dialogue (conférences et débats publics, concerts, installations), mais aussi à des expositions itinérantes qui pourraient en constituer le cadre idéal. L'établissement d'un portail en ligne sur la thématique de la circulation des objets, qui contiendrait des informations générales sur la situation et la répartition du patrimoine culturel issu du continent africain hors d'Afrique, tout en proposant des récits détaillés de la trajectoire de certaines pièces à l'aide de textes et de documents multimédias, serait une piste engageante.

Enfin, continuer de repenser les modalités de la médiatisation des données de provenance au sein même des musées semble primordial. Loin d'être réductibles à une liste de dates, de lieux et de noms de personnes sur des cartels, ces connaissances sont non seulement réclamées par les jeunes publics, mais en mesure d'accompagner – tout en l'enrichissant – le rapport intuitif ou sensoriel aux œuvres. L'objectif est ici de faire en sorte que les enjeux matériels et symboliques soulevés par la question des restitutions ne se limitent pas aux cercles d'initiés, mais puissent rencontrer le plus grand nombre, dans l'espace du musée comme en dehors.

Conclusion

La fenêtre historique qui s'est ouverte le 28 novembre 2017 à Ouagadougou, en préparant le chemin vers des restitutions d'objets du patrimoine africain présents dans les collections nationales françaises, instaure une nouvelle ère dans les relations culturelles entre l'Afrique et la France, et plus largement l'Europe. En reconnaissant la légitimité des demandes des pays africains de recouvrer une part significative de leur patrimoine et de leur mémoire, tout en œuvrant à une meilleure intelligibilité de ce moment de l'histoire coloniale, ce processus de restitution permet l'écriture d'une nouvelle page d'histoire partagée et pacifiée, où chaque protagoniste livre sa part juste.

Ces objets, qui pour une grande part ont été arrachés à leurs cultures d'origine par la violence du fait colonial, qui ont pérégriné à leur corps défendant, mais ont été accueillis et soignés par des générations de conservateurs dans leurs nouveaux lieux de vie, portent désormais en eux une part irrémédiable d'Afrique *et* d'Europe. Ayant incorporé plusieurs régimes de sens, ils sont devenus des lieux de la *créolisation* des cultures et sont de ce fait armés pour œuvrer comme les médiateurs d'une nouvelle relationalité.

Car l'ultime sens de la démarche des restitutions de biens culturels africains est de fonder une autre éthique relationnelle. En travaillant l'espace du symbolique, celui-ci devient tectonique ; ses répliques et les nouvelles valeurs qu'il charrie ne laisseront indemne aucun lieu d'échange entre les sociétés africaines et européennes (l'économique, le politique, le sociétal). Les restitutions des biens culturels africains initient donc une nouvelle économie de la relation, dont les effets ne sauraient se limiter à l'espace culturel ou à celui des échanges muséographiques.

Voici vingt ans, l'une des grandes voix de la poésie africaine, le Nigérian Niyi Osundare, né en 1947, interrogeait la lune et les saisons dans le poème « Africa's Memory »[1]. Il y est question de quatre objets dispersés aux quatre coins du monde, de royaumes africains et de villes occidentales, du vent qui emporte la mémoire et de charmes rompus. Au creux de la syntaxe anglaise se nichent en langue yoruba, la langue maternelle du poète, quelques mots chimériques, composés ou condensés de mots réels, uniques comme des noms propres et chargés de sens multiples, bien éloignés des simples dénominations génériques à l'occidentale, qui réduisent les choses à une entrée de liste ou de catalogue de musée :

Je cherche Oluyenyetuye, bronze d'Ife
Il est à Bonn, répond la lune

Je cherche Ogidigbonyingboyin, masque du Bénin
Il est à Londres, répond la lune

1. « *I ask for Oluyenyetuye bronze of Ife / The moon says it is in Bonn // I ask for Ogidigbonyingboyin mask of Benin / The moon says it is in London // I ask for Dinkowawa stool of Ashanti / The moon says it is in Paris // I ask for Togongorewa bust of Zimbabwe / The moon says it is in New York // I ask // I ask // I ask for the memory of Africa / The seasons say it is blowing in the wind // The hunchback cannot hide his burden* » (Niyi Osundare, *Horses of Memory*, Ibadan, Heinemann, 1998, p. 43).

Je cherche Dinkowawa, trône d'Ashanti
Il est à Paris, répond la lune

Je cherche Togongorewa, buste du Zimbabwe
Il est à New York, répond la lune

Je cherche
Je cherche
Je cherche la mémoire de l'Afrique
Les saisons disent qu'elle souffle dans le vent

Le bossu ne peut dissimuler son fardeau

Ce texte est un puissant témoignage d'absence et de quête. Il est au cœur du sujet qui nous occupe : celui de l'inégale répartition du patrimoine africain dans le monde, de sa belle présence dans les musées occidentaux, des failles de mémoire que son absence occasionne en Afrique et de la responsabilité de chacun pour qu'au regard de la lune et des saisons, à l'avenir, l'équité soit rétablie.

Le rapport aux autres est souvent médiatisée par l'histoire (passée). La condition de la liberté n'est pas d'être gouverné par l'histoire, mais de la réécrire au (temps) présent. Les restitutions, par la mise en désordre des anciennes modalités relationnelles qu'elles entraînent, préfigurent une nouvelle cosmologie où la captation patrimoniale, mœurs d'un autre temps, cède la place à une nouvelle mise en relation du monde, qui se base sur la reconnaissance de notre interdépendance mutuelle et du caractère fondamentalement relationnel de nos identités. Et ce n'est qu'en prenant soin de celles-ci que nous rendrons ce monde habitable pour tous.

Méthode

Le présent rapport a été conçu et rédigé entre Dakar, Nantes, Paris et Berlin. Il tient compte de l'évolution rapide du débat public sur les restitutions en Europe comme en Afrique. Il se fonde :

– sur une vaste consultation d'experts et d'acteurs politiques en France et dans quatre pays d'Afrique francophone (Bénin, Sénégal, Mali, Cameroun) ;

– sur l'établissement d'inventaires et de statistiques permettant de cerner la qualité, la quantité et la provenance des collections africaines dans les musées français ;

– sur les échanges menés lors de deux ateliers de réflexion spécifiques : l'« atelier de Dakar » et l'« atelier juridique ».

Isabelle Maréchal, inspectrice générale des affaires culturelles au ministère de la Culture, a veillé au bon déroulement institutionnel de la mission et en a assumé le versant juridique avec Vincent Négri, juriste et chercheur à l'Institut des sciences sociales du politique (UMR 7220, CNRS-ENS Paris Saclay – Université Paris-Nanterre).

Victor Claass, docteur en histoire de l'art, a coordonné l'ensemble des activités, contribué à l'élaboration des inventaires et accompagné la rédaction du rapport.

I. Consultation générale

1. « *Critical friends* »

Dès réception de la lettre de mission datée du 19 mars 2018, nous avons invité un cercle d'« amis critiques » à s'associer à la réflexion. La composition transcontinentale et interdisciplinaire de ce premier cercle visait à garantir la pluralité des vues sur un sujet aux implications symboliques, politiques et juridiques multiples et controversées. Le groupe s'est réuni en plénum à deux reprises, aux mois de mars et de septembre 2018. Tout au long du processus, plusieurs de ses membres ont été consultés individuellement.

Les premiers échanges ont eu lieu le 26 mars 2018 au Collège de France, à Paris. Étaient présents Christiane Falgayrettes-Leveau (directrice du musée Dapper, Paris), Stéphane Martin (président du musée du quai Branly-Jacques Chirac, Paris), Bonaventure Ndikung (fondateur et directeur artistique de SAVVY Contemporary, Berlin), Vincent Négri (juriste, chercheur à l'Institut des sciences sociales du politique), Louis-Georges Tin (alors président, depuis président d'honneur du Conseil représentatif des associations noires de France, Paris), Marie-Cécile Zinsou (présidente de la fondation Zinsou, Paris-Cotonou). Étaient également invités mais n'ont pu se joindre à cette réunion Souleymane Bachir Diagne (philosophe, Université Columbia, New York), Hamady Bocoum (archéologue, directeur du Musée des civilisations noires, Dakar), Kwame Opoku (ancien conseiller juridique, retraité du bureau des Nations unies à Vienne).

Les participants ont rappelé leur rôle dans le débat sur les restitutions, exprimé leurs convictions ou leurs doutes quant à la faisabilité du projet. Ils ont contribué à problématiser la question et à révéler une pluralité de dimensions à partir de leurs perspectives singulières. Ils ont assuré les auteurs de ce rapport de leur soutien institutionnel et intellectuel.

Une seconde réunion des « amis critiques » s'est tenue le 24 septembre 2018 au Collège de France. Étaient présents Claire Bosc-Tiessé (Institut national d'histoire de l'art, Paris), Christiane Falgayrettes-Leveau, Anne Lafont (directrice d'études à l'École des hautes études en sciences sociales, Paris), Isabelle Maréchal, Stéphane Martin, Vincent Négri, Kwame Opoku, Louis-Georges Tin, Marie-Cécile Zinsou.

Cette seconde réunion a permis de faire le point de l'avancement du rapport et de discuter de sa forme finale. Les échanges ont également porté sur la place à accorder à la recherche scientifique dans les débats sur les restitutions et réaffirmé la dimension prospective et opérationnelle du rapport.

2. Musées

Étant donné la spécificité des relations que, partout dans le monde et depuis que l'institution existe, les conservateurs de musée entretiennent avec les collections dont ils ont la garde, nous avons tenu, au-delà du cercle des « amis critiques », à engager un dialogue soutenu avec ce groupe de professionnels qui, en France comme en Afrique, sera le premier concerné par d'éventuelles restitutions. À défaut de répertoires documentant les coopérations scientifiques déjà existantes entre musées français et africains, il s'agissait aussi, au fil des entretiens, d'élaborer une cartographie des liens les plus vivants (et les plus prometteurs) entre ces institutions.

a. Musée du quai Branly-Jacques Chirac

Au musée du quai Branly-Jacques Chirac, nous avons tenu le 26 avril 2018 une réunion à laquelle ont été associés Gaëlle Beaujean-Baltzer (responsable de collections au sein de l'unité patrimoniale « Afrique »), Sarah Frioux-Salgas (responsable de la documentation des collections et des archives), Aurélien Gaborit (responsable de collections au sein de l'unité patrimoniale « Afrique »), Hélène Joubert (responsable de l'unité patrimoniale « Afrique »), Emmanuel Kasarhérou (adjoint au directeur du département du patrimoine et des collections, responsable de la coordination scientifique des collections), Yves Le Fur (directeur du département du patrimoine et des collections). Le président du musée, Stéphane Martin, a également assisté à une partie de la réunion. Elle a notamment débouché sur une collaboration étroite et fructueuse avec le service des archives du musée pour l'usage et l'analyse des inventaires. Hélène Joubert et Gaëlle Beaujean-Baltzer ont par ailleurs apporté leur expertise en matière d'histoire des collections et de provenance de certains objets lors de l'« atelier juridique », organisé le 26 juin 2018 *(voir p. 163)*.

b. Autres musées parisiens et musées des collectivités territoriales

Une séance organisée le 4 juillet 2018 à l'auditorium du C2RMF au musée du Louvre a permis aux auteurs de ce rapport d'élargir l'horizon de leur consultation aux musées et collections des collectivités territoriales. Ont été invités à participer à cet échange les directeurs et directrices (ou leurs collaborateurs et collaboratrices) des musées publics qui, hors du musée du quai Branly-Jacques Chirac, abritent en France des collections africaines importantes (pour les musées d'État) : Christophe Pincemaille (pour le musée de l'île d'Aix), Michel Guiraud (directeur de collections au Muséum national d'histoire naturelle) et Anne Nivard (conservatrice au Muséum national d'histoire naturelle), André Delpuech (directeur du musée de l'Homme), Ariane James-Sarazin (directrice adjointe du musée de l'Armée), Frédérique Chapelay (conservatrice au musée de la Marine), Erol Ok et Johan Popelar (musée Picasso), Christian Landes (conservateur au musée d'Archéologie nationale de Saint-Germain-en-Laye). Pour les musées de collectivités : Jean-François Tournepiche et Émilie Salaberry (musée d'Angoulême), Cédric Crémière (Muséum d'histoire naturelle du Havre), Marie Perrier (conservatrice au musée des Confluences de Lyon), Floriane Picard Hardy (musée de la Vieille Charité à Marseille), François Coulon (musée des Beaux-Arts de Rennes), Pierre Dalous (Muséum d'histoire naturelle de Toulouse). Pour les institutions privées : Laurick Zerbini et Jean-Paul Kpatcha (Société des missions africaines de Lyon), Aude Leveau (fondation Dapper). À ces noms s'ajoutent ceux d'Isabelle Nyffenhegger (Bibliothèque nationale de France), Sylvie Watelet (C2RMF), Claire Chastanier et Bénédicte Rolland-Villemot (Service des musées de France), et ceux des conseillers musées en directions régionales des affaires culturelles : Nicolas Bel et Marie-Françoise Gérard (Aquitaine), Bertrand Bergbauer et Sandra Pascalis (Grand Est), Flore Collette (Occitanie), Élise Fau (Pays de la Loire), Laurence Isnard et Sylvie Muller (Île-de-France), Évelyne Schmitt (Bretagne), Lionel Bergatto (Auvergne-Rhône-Alpes), Diana Gay (Centre-Val de Loire).

La discussion a donné lieu à une réflexion collective sur la typologie variée des fonds africains dans les musées français (trophées militaires, collectes ethnographiques, collections privées formées par des négociants, collections d'artistes). Elle a en outre permis de faire le point sur l'existence (ou non) et, le cas échéant, sur la qualité scientifique des inventaires d'objets provenant de la partie subsaharienne de l'Afrique dans les musées des collectivités territoriales. Les échanges ont également porté sur les coopérations fructueuses entre institutions de France et d'Afrique déjà menées par certains musées, notamment celle entre le Muséum d'histoire naturelle du Havre et les musées dakarois (Cédric Crémière), les initiatives du musée d'Angoulême pour le partage de connaissances et les transferts de compétences avec le Sénégal (Émilie Salaberry), ou encore celle de la région Rhône-Alpes et l'exposition « L'Afrique de nos réserves », présentée en 2011-2012 au musée du château d'Annecy (Laurick Zerbini).

c. Sénégal

Plusieurs entretiens avec El Hadji Malick Ndiaye, conservateur au musée Théodore-Monod d'art africain, et Hamady Bocoum, directeur du Musée des civilisations noires (dont l'ouverture est prévue pour le 6 décembre 2018), ont été menés à Dakar entre mars et novembre 2018 (notamment les 2 et 3 mai 2018, en marge de la Biennale de Dakar ainsi qu'à diverses reprises en août 2018), mais aussi à Paris lors de la conférence internationale sur la circulation des biens culturels, à l'Unesco, le 1er juin 2018. C'est par ailleurs au musée Théodore-Monod d'art africain, à l'invitation d'El Hadji Malick Ndiaye, que s'est tenu le 12 juin 2018 un atelier de réflexion organisé dans le cadre de la mission.

L'échange avec les conservateurs dakarois a confirmé l'intérêt qu'ils portent au projet de restitution et leur volonté d'offrir un cadre institutionnel et intellectuel à l'indispensable débat public qui doit être mené sur la question au Sénégal. La pertinence de la catégorie « ethnographique » a été longuement discutée.

À Dakar, le lien institutionnel spécifique qui unit le musée Théodore-Monod d'art africain à l'université Cheikh-Anta-Diop invite tout particulièrement à penser les restitutions en termes de coopérations futures entre universités et musées, en particulier dans le domaine de l'épistémologie (certains objets traditionnels encapsulant des savoirs mathématiques ou astronomiques, par exemple). La question des signifiants du terme « restitution », celle de la resocialisation des objets et des enjeux d'une réappropriation du patrimoine, celle de la circulation de ces pièces, ont été abordées en profondeur lors de l'« atelier de Dakar », organisé le 12 juin 2018 *(voir ci-dessous).*

d. Mali

Au musée national du Mali, à Bamako, nous avons pu échanger début juin 2018 avec Salia Malé, directeur de l'établissement, et Samuel Sidibé, son prédécesseur et actuel directeur du parc national du Mali, ainsi qu'avec Baba Keita, consultant auprès de l'Unesco. Tous saluent le projet de restitution. Le musée national du Mali compte parmi les musées du continent africain les plus liés, par des coopérations passées, avec le musée du quai Branly-Jacques Chirac. Le parc national qui l'entoure et lui sert d'écrin a été conçu dans le cadre d'un partenariat public-privé entre le gouvernement malien et le Trust Aga Khan pour la culture (AKTC).

Trois points émergent des discussions menées au Mali. L'existence de négociations déjà avancées avec des interlocuteurs privés désireux de promouvoir le retour au Mali de leur collection. Un sentiment mitigé face au concept de « circulation », ensuite, s'il est dissocié de celui de « restitution », avec le souvenir encore très présent, à la fois heureux et amer, d'expositions itinérantes. Ainsi, Salia Malé évoquait « Ciwara, collections du musée du quai Branly », une exposition qui présentait des objets communs à la culture de ces régions, mais qui, après avoir enthousiasmé les publics, a causé une vive déception lorsque les œuvres ont été réexpédiées en France. Une réflexion avancée sur la « vie sociale et rituelle » des objets de musée, enfin, et sur la question du musée « national » en général et du rapport avec les communautés dont sont issues les collections.

Nos interlocuteurs déplorent de trop faibles moyens en personnel, les effets de la crise qui depuis 2013 menace directement et indirectement l'institution (tarissement de l'activité touristique, craintes liées au terrorisme…) et les pratiques du marché de l'art, qui continue de s'approvisionner de manière illicite sur le territoire malien.

e. Cameroun

La géographie des musées au Cameroun se caractérise par la coexistence de structures d'État prestigieuses et de musées privés (dynastiques) extrêmement engagés. Nous nous sommes efforcés de consulter les uns et les autres.

– *Musée national du Cameroun.* Nous avons échangé avec RAYMOND ASOMBANG NEBA'ANE, directeur du musée national du Cameroun, dans le cadre de l'atelier du 12 juin 2018 à Dakar, et nous avons visité son musée à Yaoundé le 18 juillet 2018. Nous avions eu au préalable une entrevue rapide avec SÉBASTIEN ZONGHERO, chargé par le ministère de la Culture français d'un *Rapport de mission d'évaluation du musée national de Yaoundé* dans le cadre des financements accordés par l'Agence française de développement.

Le musée de Yaoundé est un lieu d'affirmation nationale. Il est abrité par l'ancien palais présidentiel, lui-même ancien palais des gouverneurs français, transformé en musée en 1988. Il a fait entre 2009 et 2015 l'objet d'une importante rénovation avant de rouvrir ses portes le 16 janvier 2015. Y sont juxtaposés des salles sur l'histoire ancienne et les cultures du Cameroun, un musée privé présentant de l'art contemporain et des salles apologétiques sur l'action politique récente des présidents Ahmadou Ahidjo (1960-1982) et Paul Biya (depuis 1982). L'idée de restitution y est accueillie très favorablement, dans une logique de présentation centralisée des différentes cultures et populations formant le Cameroun.

– *Musée royal de Foumban*. Notre échange avec le directeur du musée royal de Foumban et la famille du sultan, représentée par la princesse RABIATOU NJOYA, a eu lieu à Foumban le 17 juillet 2018. Tous saluent le projet de restitution et insistent sur la nécessité de coopérer avec les anciennes puissances coloniales. De très nombreux objets provenant de Foumban sont actuellement conservés à Paris et à Berlin. Les représentants du sultan ont attiré notre attention sur les frais considérables investis dans la construction et l'entretien du nouveau musée, dont l'inauguration est imminente et qui témoigne de l'intérêt qu'ils portent à la notion de patrimoine dynastique public. L'initiative de ce musée revient à l'actuel sultan, Ibrahim Mbombo Njoya, qui en a confié la conception à l'architecte Issofou Mbouombouo. Jusqu'à présent et depuis les années 1930, les collections du musée étaient présentées dans le palais des rois Bamoun, à proximité immédiate de l'actuel musée. Elles comptent douze mille objets d'art, trophées de guerre et reliques liés à l'histoire de cette dynastie fondée au XIVe siècle.

– D'autres *chefferies traditionnelles*, celles notamment du roi FO NJITACK NGOMPE PÉLÉ de Bafoussam, que nous avons rencontré dans son palais lors de notre voyage de juillet 2018, possèdent de vastes collections d'objets rituels. À Bafoussam, un musée est en cours de construction aux abords immédiats du palais royal. D'autres types de musées privés existent également au Cameroun. Nous avons visité notamment le Musée ethnographique des peuples de la forêt, à Yaoundé, et échangé avec sa fondatrice et directrice, THÉRÈSE FOUDA, pharmacienne de profession. Elle déploie une importante activité pédagogique en coopération avec les écoles de son quartier.

f. Bénin

Au Bénin, où trois musées publics sont en cours de construction, l'échange avec les acteurs du patrimoine s'est fait entre le 19 et 25 avril 2018 dans le cadre d'une invitation conjointe de l'ambassade d'Allemagne et de l'ambassade de France adressée à Bénédicte Savoy. Ce séjour, prévu avant l'annonce de la mission sur les restitutions et organisé par l'Institut français, a donné lieu à une importante série de visites et de rencontres à Porto-Novo, Ouidah, Abomey et Cotonou. La première partie de la mission a été consacrée à la visite de sites patrimoniaux et à des rencontres avec une diversité d'acteurs impliqués dans le développement de la culture et la valorisation du patrimoine au Bénin. Ainsi, Bénédicte Savoy a pu prendre connaissance des patrimoines matériel et immatériel de Porto-Novo, le site de mémoire de Ouidah et les palais royaux d'Abomey, visiter la Fondation panafricaine pour le développement culturel (FONPADEC) et rencontrer son fondateur, NOURÉINI TIDJANI-SERPOS, découvrir les deux implantations de la fondation Zinsou (à Cotonou et à Ouidah) et le Petit musée de la Récade (Abomey-Calavi).

Ces visites ont alterné avec des rencontres de représentants de la société civile béninoise et de professionnels de la culture et de la conservation du patrimoine, ainsi que de représentants du ministère de la Culture. Ces personnalités comprennent

José Pliya (directeur de l'Agence nationale de promotion des patrimoines et de développement du tourisme, Cotonou), Carole Borna (directrice adjointe du patrimoine culturel au ministère de la Culture) et Richard Sogan (conseiller du ministre de la Culture), ainsi que Gabin Djimassè (directeur de l'Office du tourisme d'Abomey, chargé de projet de construction du Musée de l'épopée des rois d'Abomey).

Des échanges fructueux ont également eu lieu avec des artistes plasticiens, notamment Romuald Hazoumè et Dominique Zinkpè, responsable d'un centre culturel, ainsi qu'avec des enseignants-chercheurs de l'université d'Abomey-Calavi (UAC), avec des étudiants de l'Institut national des métiers d'art, d'archéologie et de la culture (INMAAC) et du département d'études germaniques de l'UAC ou d'anciens étudiants en master « Patrimoine » de l'université Senghor d'Alexandrie. Dans le cadre de deux conférences publiques, Bénédicte Savoy a pu éclairer les enjeux soulevés par les translocations d'objets culturels.

Ces temps d'observation et d'interaction ont pu nourrir notre réflexion, notamment sur la richesse et les conditions actuelles de valorisation du patrimoine béninois, sur les projets des autorités béninoises en matière de culture et de patrimoine, et sur le niveau de maturation du débat sur la restitution d'objets culturels et leur acceptation par les différentes catégories de la population. Ils attestent de la complexité d'un retour effectif d'objets culturels vers leurs aires d'origine et livrent des indications précieuses sur la hiérarchisation des défis à relever par les décideurs politiques. Ces temps particulièrement profitables confirment que le débat est engagé et ouvert, au moins dans certaines franges de la population souvent partagées entre pessimisme de la raison et optimisme de l'action.

3. Acteurs politiques

a. En France

Ministère de l'Europe et des Affaires étrangères. En date du 25 juin 2018 s'est tenue à Paris une réunion de travail au ministère de l'Europe et des Affaires étrangères. Étaient présents LAURENCE AUER (directrice de la culture, de l'enseignement, de la recherche et du réseau), PATRICK COMOY (adjoint du sous-directeur de l'enseignement et de la recherche), GAËTAN BRUEL (conseiller du ministre), LUCILE BORDET (chef du bureau recherche), MAËLLE SERGHERAERT (chef du pôle sciences humaines et sociales, archéologie et patrimoine), AXEL BENREGIER (rédacteur patrimoine, bien culturels), ALEXIS MOCIO-MATHIEU (rédacteur suivi des questions liées au patrimoine, trafic des biens culturels et restitutions de bien culturels Unesco-Patrimoine), ainsi que STÉPHANE GATTA (chargé de mission Afrique), Isabelle Maréchal (inspectrice générale des affaires culturelles).

Le ministère reçoit régulièrement des demandes de restitution émanant d'États ou de communautés. Celles-ci concernent aussi bien les biens culturels que les restes humains. Il en fait la typologie, mais ne considère que les demandes provenant des États et dûment renseignées. Compte tenu du cadre juridique, il oppose généralement une fin de non-recevoir à celles-ci. Le point sur les restitutions déjà effectuées nous a été fait (têtes maories, manuscrits coréens…), comme sur les projets de coopérations muséales et sur les questions pendantes (restitutions des crânes algériens). Le ministère s'est montré très disposé à nous accompagner dans notre mission et a exprimé le souhait d'une évolution du cadre juridique relatif au droit du patrimoine français qui lui permettrait de répondre à un certain nombre de demandes qui lui sont adressées et de fluidifier ainsi ses relations diplomatiques avec certains pays. À Cotonou, en avril 2018, Bénédicte Savoy a été reçue successivement par VÉRONIQUE BRUMEAUX, ambassadrice de France au Bénin, et par son homologue allemand, ACHIM TRÖSTER. À Yaoundé, nous avons été reçus le 18 juillet 2018 par l'ambassadeur de France au Cameroun, GILLES THIBAULT. À Dakar, nous avons échangé en juin 2018 avec LUC BRIARD, premier conseiller de l'ambassade de France au Sénégal. Nous avons par ailleurs été accueillis à plusieurs reprises à l'ambassade de France à Berlin pour évoquer avec ANNE-MARIE DESCÔTES, ambassadrice, et GUILLAUME OLLAGNIER, ministre conseiller, les enjeux de notre mission dans le contexte allemand.

Ministère de la Culture. En date du 26 avril 2018, une réunion s'est tenue, à Paris, au ministère de la Culture. Étaient présents VINCENT BERJOT (directeur général des patrimoines), BLANDINE CHAVANNE (sous-directrice de la politique des musées à la Direction générale des patrimoines), CLAIRE CHASTANIER (attachée principale d'administration à la sous-direction des collections au Service des musées de France), SÉBASTIEN ZONGHERO (chef de projet valorisation de l'expertise technique patrimoniale), Isabelle Maréchal (inspectrice générale des affaires culturelles).

Ont été évoqués le périmètre de notre mission, sa nature, le droit du patrimoine, notamment les clauses de l'inaliénabilité et de l'incessibilité qui empêchent la restitution des biens culturels. Il est ressorti de la réunion que le droit était plastique et que, si le politique le souhaitait, il évoluerait. Au cours de la réunion ont également été évoqués la question de l'inventaire des principales collections françaises d'objets africains, la difficulté de l'étude de la provenance des objets, les projets de coopération muséales avec le continent africain – notamment celui en cours avec le musée national de Yaoundé via l'Agence française de développement (contrat de désendettement). Ont également été évoqués lors de ces échanges les processus de restitution des manuscrits coréens, des plaques funéraires chinoises et des têtes maories.

Assemblée nationale. En date du 4 juillet 2018, à Paris, nous avons été auditionnés, en présence d'Isabelle Maréchal, par le groupe d'études « Patrimoine » à l'Assemblée nationale, qui comprend des parlementaires de divers bords politiques. Les débats ont été menés par CONSTANCE LE GRIP et RAPHAËL GÉRARD, coprésidents du groupe et membres de la commission des affaires culturelles et d'éducation, en présence de JACQUELINE DUBOIS, de BRIGITTE KUSTER et de MAXIME MINOT, ainsi que des attachés parlementaires représentant ces députés.

Cette audition d'environ deux heures nous a offert l'occasion de rappeler les objectifs de notre mission et de faire le point sur notre démarche. Une session de questions-réponses a suivi, au cours de laquelle les parlementaires nous ont interrogés sur la situation des musées en Afrique et celle du droit du patrimoine, sur la nature des objets à restituer, etc. Le sentiment que nous avions au terme de l'échange est, que nous sommes parvenus à convaincre la commission de l'importance des enjeux politiques et historiques de notre démarche pour la relation entre la France et l'Afrique.

UNESCO. En amont de la conférence internationale « Circulation des biens culturels et du patrimoine commun : quelles nouvelles perspectives ? », organisée par l'Unesco le 1er juin 2018, Bénédicte Savoy s'est entretenue longuement avec AUDREY AZOULAY, directrice générale de l'Unesco, puis avec PATRICE TALON, président de la république du Bénin. La conférence d'ouverture avait été confiée à Bénédicte Savoy et s'intitulait « Retour vers le futur ». Les ministres de la Culture, du Tourisme et des Antiquités de France, d'Allemagne, du Burkina Faso, du Gabon, de Jordanie, du Liban, du Pérou, du Sénégal et de la république du Congo sont intervenus sur la question des restitutions, les représentants de ces pays se sentant dépossédés souvent de manière très claire et franche. L'auditoire était composé d'environ quatre cents ministres, universitaires, représentants d'organisation internationale, professionnels des musées et du patrimoine venus du monde entier. De toute évidence, l'Unesco, qui dans les années 1970 a fait considérablement avancer la question des restitutions, tenait à garder une place dans la redéfinition du débat induite par l'annonce d'Emmanuel Macron à Ouagadougou.

b. Sur le continent africain

En marge de la Biennale de Dakar s'est tenue le 4 mai 2018 une réunion des ministres de la Culture de l'Union économique et monétaire ouest-africaine, à laquelle nous avions été conviés par le ministre de la Culture du Sénégal, Abou Latif Coulibaly, afin de présenter notre travail sur les restitutions. Nous avons eu l'opportunité de rencontrer à cette occasion plusieurs ministres de la Culture du continent Africain et de les sensibiliser aux enjeux de la question.

Une rencontre de Felwine Sarr avec le président de la République du Mali, Ibrahim Boubacar Keïta, a eu lieu en date du 3 juin 2018 à son domicile, à Bamako. Celle-ci a permis de faire le point sur la mission, d'évoquer le patrimoine malien conservé dans les musées français, de discuter du rapport entre le musée national du Mali et les musées régionaux, ainsi que de revenir avec lui sur les enjeux de la mission, notamment pour le Mali, au regard des questions liées à l'histoire et à la construction nationale.

Felwine Sarr puis Bénédicte Savoy ont rencontré à Paris l'ambassadeur du Bénin, Auguste Alavo, assisté de son conseiller à la coopération et aux affaires politiques, Angelo Dan. Au cours de ces rencontres ont été évoqués les enjeux de notre mission et notre démarche. La demande de restitution du Bénin, qui avait fait l'objet d'une fin de non-recevoir par Jean-Marc Ayrault, ministre des Affaires étrangères français en 2016-2017, a été abordée, ainsi que les efforts entrepris par l'État béninois pour la construction de nouveaux musées et pour la définition d'une politique patrimoniale.

À deux reprises, à Cotonou et à Paris, Bénédicte Savoy a eu l'occasion d'échanger avec OSWALD HOMÉKY, ministre du Tourisme, de la Culture et des Sports du Bénin. Ce dernier, comme tout le gouvernement béninois, est extrêmement engagé dans le projet de restitution. Il insiste particulièrement sur la portée historique du sujet, en particulier pour les jeunes générations.

À Bamako, nous sommes allés à la rencontre d'AMINATA DRAMANE TRAORÉ, ancienne ministre de la Culture et du Tourisme du Mali (1997-2000). Aminata Traoré s'est beaucoup engagée sur la question du trafic illicite de biens culturels au temps de son mandat. Elle a en outre publié en 2006 un texte clé sur la question des restitutions de biens culturels intitulé « Ainsi nos œuvres d'art ont droit de cité là où nous sommes, dans l'ensemble, interdits de séjour ». Nous tenions à recueillir son avis sur l'évolution du discours en France. Elle a attiré notre attention sur la crise profonde que traverse le Mali, sur les effets de la guerre sur les populations civiles, notamment les femmes, sur la difficile question des visas. Elle est revenue avec nous sur sa politique en matière patrimoniale dans les années 1990. Elle salue le travail que nous menons.

Communautés. Une rencontre a eu lieu avec la FAMILLE OMARIENNE à Dakar le 6 août 2018. Étaient présents, du côté de la famille, M. SY, l'un de ses collaborateurs, et THIERNO MOUNTAGA TALL, son calife. Ce dernier nous a indiqué que, depuis 1994, la famille s'occupe de la question des restitutions des objets appartenant à El Hadj Omar (manuscrits, sabre, bijoux en or, objets divers). Elle a effectué plusieurs missions en France à ses propres frais. Elle a pu constater la présence des manuscrits d'El Hadj Omar, saisis à Ségou, à la Bibliothèque nationale de France, dans le fonds Archinard, de ses reliques au Havre, de son sabre au musée de l'Armée. Celui-ci a été prêté et montré à Dakar à deux reprises, en 1998 et en 2008. La famille indique qu'à ses demandes de restitution a été opposée une fin de non-recevoir invoquant l'inaliénabilité des collections nationales françaises. La famille a également souhaité qu'on numérise à son intention les manuscrits, mais il lui a été répondu qu'il lui faudrait attendre que le processus de numérisation de la Bibliothèque nationale de France parvienne au fonds Archinard.

Le 16 juillet 2018, nous avons rencontré à la fondation AfricAvenir, située dans le quartier de Bonabéri, à Douala, une quinzaine de chefs traditionnels du Cameroun. Ces derniers avaient été conviés par le prince KUM'A NDUMBE III à une rencontre autour de la question des restitutions. Nous avons pu échanger avec eux durant deux heures sur le sujet. Ils nous ont fait part de leurs préoccupations quant au retour des objets de leur patrimoine présents dans des musées européens et nous avons pu mesurer le grand intérêt qu'ils portaient tous à la question de leur restitution, ainsi qu'à l'état très avancé de leur réflexion sur le sujet. Les jours suivants, nous avons voyagé dans l'ouest du Cameroun, à Dschang, Bafoussam et Foumbam, afin de rencontrer d'autres chefs traditionnels (certains étaient présents à la rencontre de Douala) et de visiter les cases patrimoniales et musées traditionnels, dans lesquels ils conservent leurs objets. Ces visites nous ont édifiés sur la pluralité des dispositifs de conservation et sur leur richesse, ainsi que sur le grand intérêt porté par les chefferies à la conservation de leur patrimoine.

4. Marché de l'art

Nous nous sommes efforcés d'entrer en dialogue, individuellement, avec plusieurs représentants du marché de l'art africain, en France comme en Afrique. Du côté européen, nous avons associé les galeristes ROBERT VALLOIS (Paris) et l'antiquaire belgo-congolais DIDIER CLAES (Bruxelles) à nos réflexions, en les invitant notamment à participer à l'« atelier de Dakar » du mois de juin 2018.

Du côté africain, nous avons tenu à comprendre les mécanismes du trafic illicite en allant à la rencontre d'un marchand de Lomé, plaque tournante du trafic d'art africain entre l'Afrique de l'Ouest et l'Europe, qui nous a éclairés sur les lieux, les méthodes et les acteurs de ce marché – en particulier en ce qui concerne l'exfiltration vers l'Europe de pièces du Nigeria et du Mali. Cette rencontre et les méthodes décrites nous ont convaincus de l'absolue nécessité d'une action ferme contre les pratiques illicites.

II. INVENTAIRES

Il n'existe à ce jour pas de cartographie précise ou de répertoire centralisé du patrimoine africain en France, qui aurait représenté un outil de travail essentiel dans le cadre de la rédaction du présent rapport. En dehors de quelques institutions spécifiques dont l'état des inventaires permet un chiffrage précis, une quantification globale du nombre de pièces à l'échelle nationale est ainsi difficile à réaliser.

Les collections du musée du quai Branly-Jacques Chirac (soixante-dix mille objets pour l'unité patrimoniale « Afrique »), bien documentées et pour partie accessibles en ligne sur le site du musée, ont été une base de travail capitale pour le présent rapport. Les chiffres, cartes et statistiques qu'il comporte ont été élaborés d'après la base de données des collections du musée, consultée sur place via le logiciel de gestion des collections TMS. Ce dernier propose des informations plus détaillées que les fiches en ligne et permet l'exportation de tableurs et de « rapports » ou la compilation de fichiers CSV, qui rendent le travail autour des métadonnées des pièces concernées plus efficace. À la Documentation des collections et archives, nous avons échangé avec SARAH FRIOUX-SALGAS (responsable du service) et été orientés par JEAN-ANDRÉ ASSIÉ et ANGÈLE MARTIN, ainsi que par THOMAS CONVENT (du pôle inventaire et gestion informatisée des collections d'objets) pour la compilation des « rapports » relatifs à chaque pays.

La réunion du 4 juillet 2018 avec les représentants de musées des collectivités a laissé entendre que la mise à disposition de moyens importants pour la documentation et la mise en ligne des collections du musée du quai Branly-Jacques Chirac n'avait pas forcément initié un mouvement similaire au sein des autres institutions. Les bases de données des objets des musées de France accessibles en ligne (« Joconde »), dont le nombre de notices est largement inférieur à la réalité des collections, ne permettent pas de parvenir à un nombre fiable – pour un patrimoine partagé entre musées d'art, d'ethnographie et de sciences naturelles, voire d'instituts universitaires. Les inventaires qui nous ont été communiqués varient ainsi grandement en format et en degré de précision sur la provenance des pièces. Nous nous sommes ici efforcés, avec le soutien de VINCENT LEFÈVRE (sous-directeur des collections au Service des musées de France) et d'Isabelle Maréchal, de regrouper un maximum d'informations sur l'état du patrimoine africain en France.

Un travail d'inventaire important reste donc à mener, qui pourrait appuyer certaines démarches et initiatives existantes. L'association MuseoArtPremier propose ainsi, via une plateforme en ligne, un premier recensement des collections extra-européennes conservées par les musées français (MuseoArtPremier.com) et promeut leur valorisation. Le programme « Vestiges, indices, paradigmes : lieux et temps des objets d'Afrique (XIVe-XIXe siècle) », lancé en 2018 à l'Institut national d'histoire de l'art sous la direction de CLAIRE BOSC-TIESSÉ, a également pour objectif d'élaborer une base de données d'objets de cette provenance et de cette période conservés dans les collections publiques.

III. ATELIERS

Les deux ateliers de réflexion organisés dans le cadre de l'élaboration de ce rapport ont permis de recueillir les idées et opinions ainsi que les critiques d'experts et d'acteurs situés dans des champs d'action variés. L'« atelier de Dakar » a permis d'explorer en profondeur toutes les problématiques liées aux restitutions, des aspects les plus pragmatiques aux dimensions symboliques. Son organisation (transport, hébergement, repas) a été conjointement financée par le ministère de l'Europe et des Affaires étrangères et le ministère de la Culture, avec le soutien sur place de l'ambassade de France au Sénégal et du musée Théodore-Monod d'art africain. L'« atelier juridique » se concentrait pour sa part, grâce à la réunion d'un large panel d'experts, à la question du droit et aux expériences passées de restitutions. Son organisation a reçu le soutien du ministère de la Culture et bénéficié de l'hospitalité du Collège de France.

1. L'atelier de Dakar

Cet atelier de réflexion s'est tenu le 12 juin 2018 au musée Théodore-Monod d'art africain, à Dakar, en présence des personnalités suivantes : HAMADY BOCOUM (archéologue, directeur du Musée des civilisations noires, Dakar), CAROLE BORNA (directrice adjointe du patrimoine culturel au ministère de la Culture, Cotonou), VIYÉ DIBA (artiste peintre, Dakar), GABIN DJIMASSÈ (directeur de l'Office du tourisme d'Abomey, chargé de projet de construction du Musée de l'épopée des rois d'Abomey), prince KUM'A NDUMBE III (fondateur d'AfricAvenir International, Douala), DIDIER HOUÉNOUDÉ (historien de l'art, directeur de l'INMAAC, Cotonou), SALIA MALÉ (ethnologue, directeur du département de la conservation au musée national du Mali, Bamako), EL HADJI MALICK NDIAYE (historien de l'art, conservateur au musée Théodore-Monod d'art africain, Dakar), SIMON NJAMI (critique d'art, commissaire d'exposition, Paris), JOSÉ PLIYA (directeur de l'Agence nationale de promotion des patrimoines et de développement du tourisme, Cotonou), ROBERT VALLOIS (galeriste, Petit musée de la Récade, Paris-Cotonou), DANIÈLE WOZNY (consultante, experte en culture et patrimoine). Également invités, l'historienne de l'art ANNE LAFONT (directrice d'étude à l'École des hautes études en sciences sociales) et CÉDRIC CRÉMIÈRE (directeur du Muséum d'histoire naturelle du Havre) ont malheureusement été empêchés *in extremis* et n'ont pu se joindre au groupe.

Le format de l'atelier, à huis clos dans un espace-temps très concentré, avait été choisi pour favoriser l'émergence d'une réflexion collective, transcontinentale et autonome. Nous avons consacré trois séances de trois heures environ à chacun des volets suivants :

I. Ce que restituer veut dire : pragmatique, symbolique, temporalités

La session inaugurale a permis de questionner, de manière générale, le geste de la restitution dans la multiplicité de ses significations, et de poser les termes et enjeux du débat. L'existence de plusieurs conceptions du patrimoine et de différents régimes mémoriels a également été au cœur des discussions.

II. Resocialiser le patrimoine : espaces épistémologiques et régimes de culture

Cette deuxième section portait plus concrètement sur les potentialités d'une réintégration des objets dans leur environnement d'origine, et des possibilités offertes par leur resocialisation et re-symbolisation. La discussion a porté sur la variété des situations culturelles et territoriales, à travers des exemples précis, et sur la redéfinition de la fonction d'objets dont les significations ont été altérées par l'histoire.

III. Panser l'avenir et logiques de distribution : la mutualité comme horizon ?

Le dernier panel, plus prospectif, explorait les possibilités ouvertes par les restitutions dans le cadre d'une reconfiguration des relations interafricaines et intercontinentales. La circulation des œuvres et la géographie muséale de l'Afrique ont été abordées.

Les échanges au cours de cet atelier de travail ont fait l'objet d'une captation audiovisuelle intégrale. Une conférence de presse organisée dans une salle du musée Théodore-Monod d'art africain à l'issue des échanges a permis d'informer les médias sur les résultats de cette journée et, plus généralement, sur les enjeux et l'avancement de la mission.

2. L'atelier juridique

L'« atelier juridique » s'est tenu le 26 juin 2018 au Collège de France, à Paris. Sa conception et son organisation ont été conjointement assurées par Isabelle Maréchal (inspectrice générale des affaires culturelles au ministère de la Culture) et Vincent Négri (juriste et chercheur à l'Institut des sciences sociales du politique), associé à la mission à titre de « *critical friend* » pour sa connaissance du droit du patrimoine africain et du droit international en matière de patrimoine.

Cet événement était destiné à un public restreint d'intervenants et d'invités (ministère de la Culture, ministère de l'Europe et des Affaires étrangères, Sénat, ICOM, universitaires, juristes et historiens, conservateurs et praticiens) choisis pour leur expérience en matière de restitutions. Sont intervenus à l'occasion de cette journée : LAURENCE AUER (directrice de la culture, de l'enseignement, de la recherche et du réseau au ministère de l'Europe et des Affaires étrangères), GAËLLE BEAUJEAN-BALTZER (responsable de collections au sein de l'unité patrimoniale « Afrique » du musée du quai Branly-Jacques Chirac), CLAIRE CHASTANIER (attachée principale d'administration à la sous-direction des collections au Service des musées de France), MARIE CORNU (directrice de recherche au CNRS-Institut des sciences sociales du politique), STÉPHANE DUROY (professeur de droit public à la faculté Jean-Monnet, Université Paris-Sud), MANLIO FRIGO (professeur de droit international à l'université de Milan, avocat au cabinet BonelliErede Milan), HÉLÈNE JOUBERT (responsable de l'unité patrimoniale « Afrique » du musée du quai Branly-Jacques Chirac), EMMANUEL KASARHÉROU (adjoint au directeur du département du patrimoine et des collections, responsable de la coordination scientifique des collections au musée du quai Branly-Jacques Chirac), SÉBASTIEN MINCHIN (directeur du Muséum d'histoire naturelle de Bourges), KWAME OPOKU (ancien conseiller juridique, retraité du bureau des Nations unies à Vienne), XAVIER PERROT (professeur d'histoire du droit à l'université de Limoges), JULIETTE RAOUL-DUVAL (présidente du comité français de l'ICOM).

Le programme a permis de faire le point sur la situation du droit international, du droit interne français, du droit africain, mais aussi de livrer des commentaires sur le document méthodologique rendu public par l'Association des musées allemands. Plusieurs cas de restitutions déjà effectuées ont été analysés. Sur la base d'une présentation de trois objets africains des collections du musée du quai Branly-Jacques Chirac qui y sont parvenus selon des modalités et à des périodes de l'histoire différentes, il s'est agi en outre d'engager une réflexion concrète sur les modalités et précautions à prendre dans l'hypothèse de restitutions à venir, et de permettre une confrontation des points de vue des divers futurs acteurs de ce processus.

Descriptif des objets figurant dans le cahier hors-texte

Ce descriptif a été réalisé d'après les informations contenues dans la base de données des collections du musée du quai Branly-Jacques Chirac et complété d'informations concernant les donateurs et les conditions d'arrivée des objets dans les collections françaises. Ces informations complémentaires, qui ne figurent pas dans cette base de données, sont placées en note.

Les objets retenus ici comptent parmi ceux dont nous suggérons la restitution rapide (*voir p. 108 à 112*).

ILLUSTRATION 1

Appellation ou titre :
Statue *bochio* à l'image du roi Ghézo

Auteurs :
Bokossa Donvide, Sossa Dede, Ekplékendo Akati (pour les lames)

Lieu de conservation :
Musée du quai Branly-Jacques Chirac, Paris

Numéro d'inventaire :
71.1893.45.1

Matériaux et techniques :
Bois, fer, pigments

Dimensions :
214 × 82 × 45 cm, 22 kg

Toponyme :
Abomey < Zou (département) < Bénin < Afrique occidentale < Afrique

Datation :
XIXe siècle

Description :
Statue en bois représentant un homme debout, le bras droit levé, l'avant-bras gauche plié. Ceinture en métal supportant peut-être autrefois un cache-sexe (?). Lames de fer sur les épaules et à la taille. Caleçon rayé noir et jaune. Main gauche abîmée.

Personne(s) et institution(s) :
Donateur : Alfred Amédée Dodds*
Précédente collection : musée de l'Homme (Afrique)

Année d'enregistrement à l'inventaire :
1893**

SOURCE : fiche d'objet de la base de données des collections du musée du quai Branly-Jacques Chirac

* Alfred Amédée Dodds (1842, Saint-Louis-du-Sénégal-1922, Paris) est un général français, métis par ses deux parents, commandant supérieur des troupes françaises au Sénégal à partir de 1890. Entre 1892 et 1894, il mène la conquête du Dahomey (actuel Bénin) sur le roi Béhanzin.

** Prise de guerre du colonel Alfred Amédée Dodds à Abomey (actuel Bénin) en 1892.

ILLUSTRATION 2

Appellation ou titre :
Statue royale anthropozoomorphe

Auteur :
Sossa Dede

Lieu de conservation :
Musée du quai Branly-Jacques Chirac, Paris

Numéro d'inventaire :
71.1893.45.2

Matériaux et techniques :
Bois polychrome, cuir

Dimensions :
179 × 77 × 110 cm, 56 kg

Toponyme :
Abomey < Zou (département) < Bénin < Afrique occidentale < Afrique

Datation :
Entre 1858 et 1889

Description :
Statue évoquant le règne du roi Glélé (1858-1889) représenté sous la forme d'un personnage à tête de lion. Tête, torse et bras peints en rouge de la taille aux jarrets, cuisses jusqu'aux genoux peintes en vert (figuration d'un pantalon ?), mollets et pieds rouges. Poils et crinière indiqués par gravure sur la tête et le

torse. Queue rouge. Avant-bras levés, poings fermés, cache-sexe en cuir.

Personne(s) et institution(s) :
Donateur : Alfred Amédée Dodds*
Précédente collection : musée de l'Homme (Afrique)

Année d'enregistrement à l'inventaire :
1893**

SOURCE : fiche d'objet de la base de données des collections du musée du quai Branly-Jacques Chirac

* Alfred Amédée Dodds (1842, Saint-Louis-du-Sénégal-1922, Paris) est un général français, métis par ses deux parents, commandant supérieur des troupes françaises au Sénégal à partir de 1890. Entre 1892 et 1894, il mène la conquête du Dahomey (actuel Bénin) sur le roi Béhanzin.

** Prise de guerre du colonel Alfred Amédée Dodds à Abomey (actuel Bénin) en 1892.

ILLUSTRATION 3

Appellation ou titre :
Statue royale anthropozoomorphe

Auteur :
Sossa Dede

Lieu de conservation :
Musée du quai Branly-Jacques Chirac, Paris

Numéro d'inventaire :
71.1893.45.3

Matériaux et techniques :
Bois polychrome, métal

Dimensions :
168 × 102 × 92 cm, 55 kg

Toponyme :
Abomey < Zou (département) < Bénin < Afrique occidentale < Afrique

Datation :
Entre 1889 et 1892

Description :
Statue d'homme debout dont la tête et le torse évoquent un requin. Quatre ailerons sont figurés au niveau du torse. Bras droit levé, bras gauche tendu, poings fermés, écailles indiquées sur le torse.

Personne(s) et institution(s) :
Donateur : Alfred Amédée Dodds*
Précédente collection : musée de l'Homme (Afrique)

Année d'enregistrement à l'inventaire :
1893**

SOURCE : fiche d'objet de la base de données des collections du musée du quai Branly-Jacques Chirac

* Alfred Amédée Dodds (1842, Saint-Louis-du-Sénégal-1922, Paris) est un général français, métis par ses deux parents, commandant supérieur des troupes françaises au Sénégal à partir de 1890. Entre 1892 et 1894, il mène la conquête du Dahomey (actuel Bénin) sur le roi Béhanzin.

** Prise de guerre du colonel Alfred Amédée Dodds à Abomey (actuel Bénin) en 1892.

ILLUSTRATION 4

Appellation ou titre :
Sculpture dédiée à Gou

Auteur :
Akati Ekplékendo

Lieu de conservation :
Musée du quai Branly-Jacques Chirac, Paris

Numéro d'inventaire :
71.1894.32.1

Matériaux et techniques :
Fer martelé, bois

Dimensions :
178,5 × 53 × 60 cm, entre 100 et 150 kg

Toponyme :
Abomey < Zou (département) < Bénin < Afrique occidentale < Afrique

Datation :
Vers 1858

Description :
Statue entièrement fabriquée à partir de ferrailles d'origine européenne. Les pieds en fer forgé sont rivés au socle formé d'une plaque en tôle d'acier. Les jambes, barres de fer martelées, sont pourvues de prolongements s'enfonçant dans les pieds auxquels les fixent des rivets. Elles sont reliées au corps par rivetage sur un axe horizontal qui traverse le haut des cuisses. Le corps lui-même

est fait d'une forte barre de fer à section rectangulaire. Au niveau des épaules une barre horizontale (percée au milieu pour le passage du cou) s'adapte au corps sur lequel elle est fixée par un énorme clou. Vers le haut, le corps devient un cylindre muni d'un boulon au sommet et destiné à recevoir le cou, tube de tôle qu'entoure un collet et qui supporte la tête. Celle-ci, boule creuse sur laquelle le visage est attaché comme un masque, est coiffée d'un chapeau surmonté par un écrou vissé sur le boulon. Les bras tubes adaptés aux épaules enveloppent les barres de fer traitées plus bas en avant-bras et en mains. Des épaules jusqu'au milieu des cuisses, le corps est revêtu d'une tunique sans manches en tôle mince dont les feuilles, découpées au ciseau, récréent l'ampleur des tuniques de guerre dahoméennes. Sous la tunique, Gou porte un pagne fait d'une épaisse barre de fer aplatie et courbée. La main gauche tenait autrefois une clochette et la main droite un grand sabre au fer ajouré.

Personne(s) et institution(s) :
Donateur : Eugène Fonssagrives*
Précédente collection : musée de l'Homme (Afrique)

Année d'enregistrement à l'inventaire :
1894**

Source : fiche d'objet de la base de données des collections du musée du quai Branly-Jacques Chirac

* Eugène Jean Paul Marie Fonssagrives (1858-1937), colonel d'infanterie coloniale.

** Objet pris à Ouidah (ville côtière du royaume du Dahomey, actuel Bénin) par l'armée française à la suite d'une bataille contre les troupes dahoméennes.

ILLUSTRATIONS 5 ET 6

Appellation ou titre :
Colliers*

Lieu de conservation :
Musée du quai Branly-Jacques Chirac, Paris

Numéros d'inventaire :
75.8142 et 75.8148

Matériaux et techniques :
Or, cuir ; or

Toponyme :
Ségou < Ségou (région) < Mali < Afrique occidentale < Afrique

Datation :
XIXe siècle

Personne(s) et institution(s) :
Déposant : musée de l'Armée
Collecte : Louis Archinard**
Précédente collection : musée national des arts d'Afrique et d'Océanie (Afrique)

SOURCE : fiche d'objet de la base de données des collections du musée du quai Branly-Jacques Chirac

---

* Objets du « trésor » du palais royal de Ségou.

** Trésor saisi lors de la prise de Ségou (actuel Mali) par le colonel Louis Archinard (1850-1932) en 1890, en dépôt au musée de l'Armée dès 1910, récupéré par l'office colonial pour être déposé au musée des Colonies (où une partie a été dérobée en 1937).

Illustration 7

Appellation ou titre :
Plaque figurative

Lieu de conservation :
Musée du quai Branly-Jacques Chirac, Paris

Numéro d'inventaire :
71.1931.49.19

Matériaux et techniques :
Laiton, fonte à la cire perdue

Dimensions :
52 × 37 × 9 cm, 16,25 kg

Toponyme :
Benin City < Nigeria < Afrique occidentale < Afrique

Datation :
XVIe-XVIIe siècles

Description :
Cinq personnages en haut-relief se détachent sur un fond gravé de feuilles d'eau. Au centre, l'Oba est entouré de deux guerriers et de deux musiciens. Il porte les attributs de sa dignité : une coiffure et des colliers en perles de corail, un baudrier composé de plusieurs rangs de perles barrant le torse, un collier en dents de léopard, ainsi que des bracelets, des chevillières et des jambières. Son pagne drapé est noué sur le côté et est fixé par un masque de ceinture anthropomorphe. Il brandit l'*eben*, son épée cérémonielle. Les deux guerriers casqués sont armés d'une lance

et d'un bouclier. Une cloche tronconique est accrochée à leur collier en dents de léopard. Les deux musiciens, un joueur de trompe traversière et un joueur de cloche double, sont figurés conventionnellement de proportion plus petite.

Personne(s) et institution(s) :
Donateur : Georges Henri Rivière*
Précédente collection : musée de l'Homme (Afrique)

Année d'enregistrement à l'inventaire :
1931

SOURCE : fiche d'objet de la base de données des collections du musée du quai Branly-Jacques Chirac

---

* Georges Henri Rivière (1897-1985), alors assistant de Paul Rivet au musée d'ethnographie du Trocadéro, fit l'acquisition de cette plaque sur le marché londonien en juillet 1931, à une période consécutive à la crise de 1929 où les ayants droit des membres de l'expédition « punitive » britannique de 1897 à Benin City vendaient les butins en leur possession. Des plaques similaires, initialement destinées à la décoration du palais royal de Benin City et saisies à la suite du sac de la ville, ont été transférées en Europe et dispersées sur le marché de l'art.

ILLUSTRATION 8

Appellation ou titre :
Tête d'autel royal

Lieu de conservation :
Musée du quai Branly-Jacques Chirac, Paris

Numéro d'inventaire :
73.1997.4.3

Matériaux et techniques :
Alliage cuivreux

Dimensions :
52 × 34 × 34 cm

Toponyme :
Nigeria < Afrique occidentale < Afrique

Datation :
Première moitié du XIXe siècle

Description :
Tête au visage stylisé. La coiffure est composée d'une calotte en résille avec deux ailettes latérales, le tout en perles de corail. Le cou est engoncé dans plusieurs colliers de perles superposés recouvrant le menton jusqu'à la lèvre inférieure. Scarifications sur le front. L'embase est décorée de motifs figuratifs (hache, bras, léopards, poisson, main, tête de vache) en haut-relief symbolisant le pouvoir royal.

Personne(s) et institution(s) :
Précédente collection : Musée national des arts d'Afrique et d'Océanie (Afrique)

Vendeur : Jean Paul Barbier-Mueller
Ancienne collection : musée Barbier-Mueller
Ancienne collection : Josef Mueller
Ancienne collection : Louis Carré
Ancienne collection : Arthur Speyer*
Ancienne collection : Ethnologisches Museum, Berlin
Ancienne collection : Eduard Schmidt

Année d'enregistrement à l'inventaire :
1997

SOURCE : fiche d'objet de la base de données des collections du musée du quai Branly-Jacques Chirac

* Pièce transférée en Allemagne via Hambourg par le consul allemand à Lagos Eduard Schmidt vers 1898, vendue par l'Ethnologisches Museum de Berlin au marchand Arthur Speyer entre 1923 et 1929.

ILLUSTRATION 9

Appellation ou titre :
Peinture de l'église Abbā Antonios – Sainte

Lieu de conservation :
Musée du quai Branly-Jacques Chirac, Paris

Numéros d'inventaire :
71.1931.74.3586

Matériaux et techniques :
Peinture marouflée sur toile

Dimensions :
70 × 49 × 2,5 cm, 1,75 kg

Toponyme :
Gondar < Gondar (région) < Amara (État) < Éthiopie < Afrique orientale < Afrique

Datation :
Fin du XVIIe siècle

Description :
Sainte

Personne(s) et institution(s) :
Mission : Dakar-Djibouti*
Précédente collection : musée de l'Homme (Afrique)

* Peintures démarouflées de l'église Abbā Antonios à Gondär (Éthiopie) par Marcel Griaule et Gaston-Louis Roux lors de la mission Dakar-Djibouti.

Année d'enregistrement à l'inventaire :
1931

Source : fiche d'objet de la base de données des collections du musée du quai Branly-Jacques Chirac

ILLUSTRATION 10

Appellation ou titre :
Masque et poitrine postiche de jeune fille

Lieu de conservation :
Musée du quai Branly-Jacques Chirac, Paris

Numéro d'inventaire :
71.1930.31.22.1-2

Matériaux et techniques :
Fibres végétales, cauris, fruits de baobab

Dimensions :
110 × 50 × 14,5 cm, 20,44 kg

Toponyme :
Sanga (village) < Mopti (région) < Mali < Afrique occidentale < Afrique

Datation :
Début du XXe siècle

Description :
Masque cagoule en fibres végétales dont le visage est évoqué par la présence de deux ouvertures circulaires figurant les yeux, entourées de rangées concentriques de cauris et se prolongeant à la partie inférieure par une sorte de bavette de cauris. Le visage est surmonté d'une coiffure en fibres figurant la chevelure et formant un cimier central souligné de cauris. Ce masque cagoule se complète d'un « soutien-gorge » en fibres et cauris où sont attachées deux demi-coques de fruits de baobab qui figurent les seins féminins.

Personne(s) et institution(s) :
Acquisition : personne inconnue
Mission : Henri Labouret*
Précédente collection : musée de l'Homme (Afrique)

Année d'enregistrement à l'inventaire :
1930

SOURCE : fiche d'objet de la base de données des collections du musée du quai Branly-Jacques Chirac

* Henri Labouret (1878-1959), militaire et administrateur colonial en Afrique Occidentale française, se tourne vers l'ethnologie et devient directeur de l'Institut africain international en 1927. Il est professeur de civilisation africaine à l'École coloniale à Paris de 1926 à 1945.

ILLUSTRATION 11

Appellation ou titre :
Masque anthropomorphe

Nom vernaculaire :
Satimbe

Lieu de conservation :
Musée du quai Branly-Jacques Chirac, Paris

Numéro d'inventaire :
71.1931.74.1948

Matériaux et techniques :
Bois de kapokier, pigments, fibres végétales

Dimensions :
138 × 33,5 × 21,5 cm, 31,18 kg

Toponyme :
Sanga (village) < Mopti (région) < Mali < Afrique occidentale < Afrique

Datation :
Avant 1931

Description :
Masque constitué d'un visage de bois rectangulaire surmonté de deux courtes oreilles verticales et d'une figure féminine en pied dont les bras articulés sont repliés et dressés. Le visage du masque est marqué par une arête nasale centrale qui sépare deux cavités rectangulaires à l'intérieur desquelles se situent les orbites triangulaires, pointes vers le bas, des yeux. L'ensemble est couvert de motifs géométriques polychromes (noirs et blancs) et

se complète d'une coiffure de fibres rouges et d'un couvre-nuque en vannerie. Le personnage féminin porte une ceinture de fibres au niveau de la taille et des bracelets de fibres au niveau des coudes, des avant-bras et des poignets.

Personne(s) et institution(s) :
Acquisition : personne inconnue
Mission : Dakar-Djibouti
Précédente collection : musée de l'Homme (Afrique)

Année d'enregistrement à l'inventaire :
1931

Source : fiche d'objet de la base de données des collections du musée du quai Branly-Jacques Chirac

ILLUSTRATION 12

Appellation ou titre :
Objet cultuel composite

Nom vernaculaire :
Boli

Lieu de conservation :
Musée du quai Branly-Jacques Chirac, Paris

Numéro d'inventaire :
71.1931.74.1091.1

Matériaux et techniques :
Terre mêlée à de la cire d'abeille, sang coagulé, bois

Dimensions :
44 × 59 × 24 cm, 20,25 kg

Toponyme :
Dyabougou < Ségou (région) < Mali < Afrique occidentale < Afrique

Datation :
Entre le milieu du XIXe siècle et 1930

Description :
Cet objet était conservé dans un sanctuaire de la société initiatique dite Kono. L'animal représenté serait un hippopotame ou un cheval.

Personne(s) et institution(s) :
Acquisition : personne inconnue
Mission : Dakar-Djibouti
Précédente collection : musée de l'Homme (Afrique)

Année d'enregistrement à l'inventaire :
1931

SOURCE : fiche d'objet de la base de données des collections du musée du quai Branly-Jacques Chirac

ILLUSTRATION 13

Appellation ou titre :
Trône

Lieu de conservation :
Musée du quai Branly-Jacques Chirac, Paris

Numéro d'inventaire :
71.1934.171.1

Matériaux et techniques :
Bois sculpté

Dimensions :
180 × 100 × 100 cm

Toponyme :
Foumban < Noun (département) < Ouest (région) < Cameroun < Afrique centrale < Afrique

Datation :
Avant 1934

Description :
Deux sculptures anthropomorphes forment le dossier d'un trône de roi ou de sultan Bamoun. Représentation de l'élément masculin d'un couple. Très mauvais état. Restauré en 1987.

Personne(s) et institution(s) :
Acquisition : personne inconnue
Mission : Henri Labouret*
Précédente collection : musée de l'Homme (Afrique)

Année d'enregistrement à l'inventaire :
1934

SOURCE : fiche d'objet de la base de données des collections du musée du quai Branly-Jacques Chirac

* Henri Labouret (1878-1959), militaire et administrateur colonial en Afrique Occidentale française, se tourne vers l'ethnologie et devient directeur de l'Institut africain international en 1927. Il est professeur de civilisation africaine à l'École coloniale à Paris de 1926 à 1945.

Table

RÉALISATION : NORD COMPO À VILLENEUVE-D'ASCQ
IMPRESSION : NORMANDIE ROTO IMPRESSION S.A.S. À LONRAI
DÉPÔT LÉGAL : NOVEMBRE 2019. N° 142115 (1804757)
IMPRIMÉ EN FRANCE